Firas Alshater
ICH
komm auf
Deutschland zu

Firas Alshater

ICH KOMM AUF DEUTSCHLAND ZU

Ein Syrer über seine neue Heimat

ullstein extra

3. Auflage 2016

Ullstein extra ist ein Verlag der Ullstein Buchverlage GmbH
www.ullstein-extra.de

ISBN 978-3-86493-049-2

Satz: Pinkuin Satz und Datentechnik, Berlin
Gesetzt aus der ITC Legacy Serif
Druck und Bindearbeiten: CPI Books GmbH, Leck
Printed in Germany

INHALT

VII SHUFI MAFI

إهداء ..

إلى أمي الغالية .. وأبي ..
إلى أخوتي الأحبّة .. ودعاء ..
إلى روح الشهيد تامر العوام، والصديق يان هايلغ ..
إلى أرواح أكثر من خمس مئة ألف شهيد في سبيل ثورة الحرية ..
إلى كل معتقل وسبعين رأي في أقبية النظام السوري ..
إلى كل من ظلمني وأساء إليّ في تلك الأوقات العصيبة ..
إلى كل لاجىء ومشرد خرج من وطنه بحثاً عن الأمل والحرية ..
إلى أرواح أولئك الذين غرقوا في البحر بحثاً عن حياة ..
إلى وطنٍ حرمن العبودية والديكتاتورية ..
إلى أزقة دمشق القديمة وقسيا ..
إلى حمص وحلب مروراً بكل المدن والقرى السورية ..
إلى كل مصاب وجريح ، وكل مفقود ومغيب ..
إلى مرض قتل طفولتي .. ورحمها لم تنم حياتي ..
كثير منكم لن يستطيع قراءة هذا الكتاب .. ولكنه ... لكم

غراس الشاطر
برلين 2016

VORWORT

Liebe Leserinnen und Leser,

eigentlich wollte ich ein Buch über Bartpflege schreiben. Aber dann habe ich mir gesagt, dass nicht jeder einen Bart hat – oder überhaupt Bärte mag. Wir Menschen sind doch alle ganz verschieden. Das ist ja auch viel lustiger.

Wir brauchen ja niemanden deswegen auszugrenzen, nur weil ihm kein Bart wächst, oder? Kann er – oder sie – ja nix dafür. Es kann ja auch niemand etwas dafür, wo er – oder sie – geboren wurde. Manche werden in Deutschland geboren – da können die auch nichts dafür. Manche werden in einem Land geboren, in dem Krieg herrscht. Den sie nicht angefangen haben. Manche werden sogar von dort vertrieben, wo sie geboren sind. So ging das mir und vielen anderen auch.

Dann wollte ich ein Fotobuch machen – mit Bildern aus meiner Heimat Syrien. Dort habe ich über Jahre hin Fotos gemacht, von der Revolution und den Kämpfen, von der Zerstörung. Aber dann dachte ich wieder: Es gibt zigtausend solcher Bilder im Internet und in Zeitungen. Vielleicht können manche das nicht mehr sehen – es ist immer dasselbe. Vielleicht geht es auch anders?

Also habe ich ein humorvolles Buch gemacht. Denn als ich nach Deutschland kam, habe ich gelacht. Über die Freiheit, über die Rettung und auch über diese Deutschen. Und ich dachte mir: Vielleicht bringe ich euch dieses Lachen. Es gibt auch traurige Kapitel in meinem Buch und in meinem Leben, aber sie sind nicht das Wichtigste. Lachen finde ich wichtiger.

Meine Geschichte ist oft einfach nur komisch, ich habe das nicht geplant, es ist einfach so gekommen. Vielleicht ist sie noch nicht einmal die interessanteste Geschichte – es sind Millionen anderer mit ihren Geschichten nach Deutschland gekommen. Die nicht die Chance haben, ein Buch zu schreiben. Oder durch YouTube-Videos bekannt zu werden, so wie ich. Aber ihre Geschichte ist es genauso wert, von dir angehört zu werden. Und ich bin sicher, sie hören genauso gerne deine Geschichte. Wir Menschen sind eben ganz verschieden – wie unsere Geschichten. Manche haben einen Bart.

I
KAMEL

TAG EINS IN DEUTSCHLAND

»Papiere!«

Ich muss grinsen. Es ist doch überall das Gleiche. Ich meine nicht, dass ich überall grinsen muss. Nein, es ist nur ... Polizisten sind doch überall gleich.

»Papiere, bitte!«

In den Städten meiner Heimat Syrien hört man das inzwischen alle 500 Meter – im gleichen Tonfall, an jedem Checkpoint, aber natürlich ohne ein »Bitte«. Dort habe ich in den letzten Jahren gelernt: Papiere sind wichtiger als Menschen. Das ist in Deutschland auch nicht anders. Die Deutschen lieben Papier. Hast du kein Papier, dann bist du gar nicht hier! Aber zumindest werde ich weder beleidigt noch geschlagen. Der Mann in Uniform vor mir ist deutsch. Er grinst nicht zurück.

»Was wollen Sie in Deutschland?« – die erste Frage, die mir hier gestellt wird. Und ich werde sie von nun an noch oft zu hören bekommen.

Na gut, ich hole mein Visum heraus – ein echtes Schengenvisum, und niemand aus meiner Familie wollte mir erst glauben, dass es echt ist. Es beweist: Ich komme, um zu arbeiten, und ich darf das. Ein Filmproduzent aus Berlin wollte, dass ich in Syrien ein paar Szenen für ihn drehe. Jetzt soll ich beim Schneiden helfen und auch selber vor die Kamera. Hier in Berlin.

Das glauben mir die Polizisten natürlich nicht. Auch nicht, dass meine Papiere echt sind. Ich kann es ja selber kaum glauben. Ich werde zur Seite genommen und verhört. Sie schauen möglichst ernst und grimmig.

Ich muss schon wieder grinsen. Die sind einfach putzig.

Im syrischen Foltergefängnis saß ich auch in solchen Räumen. Die Beamten dort haben sich jedoch kein bisschen Mühe gegeben, so böse und gefährlich zu gucken. Das hatten sie gar nicht nötig. Aus dem Nachbarzimmer drangen schon die ganze Zeit Schreie. Während ich vernommen wurde, starben nebenan Leute. Da grinst niemand mehr – außer manchmal die Typen in Uniform.

Hier hört man höchstens eine Kaffeemaschine aus dem Nebenzimmer. Die klingt auch, als ob sie gleich stirbt. Die Polizisten gucken weiter grimmig. Wahrscheinlich, weil sie nichts finden, um mich wieder in den Flieger zurück zu setzen.

»Haben Sie Geld dabei? Zeigen Sie mal Ihre Kreditkarte!«

Ich habe keine Ahnung, warum sie jetzt mein Geld sehen wollen. Wollen die Trinkgeld? Ich habe einen Job hier, und dafür werde ich bezahlt. Das glauben sie mir nicht – ebenso wenig wie vor einigen Tagen ihre Kollegen in der deutschen Botschaft in Ankara.

»Mein Produzent ist draußen, fragen Sie ihn doch!« Ich spreche Englisch mit ihnen, und ihr Akzent ist schlimmer als meiner. Später lerne ich den Klang besser kennen, die kamen wahrscheinlich aus Sachsen. Jetzt klingt es nur sehr deutsch. »Wir werden sehen!«

Eine ganze Weile sehe ich erst mal meine Koffer nicht wieder. Sie haben wohl Drogen gesucht, gefunden haben sie nur Parfüm. Mehr habe ich heute nicht zu bieten. Aber jetzt bin ich doch ein bisschen in Sorge. Ich kann nicht telefonieren, und wir sitzen hier schon seit über einer Stunde. Jan, der Produzent, wartet draußen auf mich. Vielleicht fährt er aber auch wieder heim ... Ich will ihn nicht enttäuschen, nach allem, was er für mich getan hat. Er hat immerhin ermöglicht, dass ich nach Deutschland darf. Dieser Auftrag ist meine Rettung. Ich war am Ende, geflohen aus meinem Land, ohne Mittel und ohne Perspektive. Und jetzt bin ich plötzlich ein wichtiger Teil eines deutsch-syrischen Kinofilms. Ich soll meinen Landsmann und Filmkollegen Tamer Alawam ersetzen, den ursprünglichen Regisseur von »Syria Inside«. Tamer war 2012 in Aleppo durch einen Granatsplitter gestorben, als er in der Nähe der Frontlinie gefilmt hatte – kurz vor Ende der Dreharbeiten. Ein Angriff der Regierungstruppen, und er war zu nah an der Einschlagstelle. Also habe ich nun statt seiner die fehlenden Szenen gedreht: In der Gegend um Rakka habe ich mit Kindern die ersten Momente der Revolution nachgespielt. Schüler hatten 2011 ein Graffito an die Wand ihrer Schule gesprüht. Einen Spruch gegen das Regime. »Doktor, jetzt bist du an der Reihe.« Gemeint war der studierte Augenarzt und jetzige Diktator Baschar al-Assad. Direkt nach dem Sturz Gaddafis war der Assad-Clan jedoch extrem nervös und sensibel. Also wurden die Jungs vom Geheimdienst verhaftet und gefoltert. Damit fing alles an. Es gab die ersten Demonstrationen: »Freiheit für die Kinder!« Um politische Freiheit ging es noch gar nicht. Darauf folgten weitere Verhaftungen. Und immer wieder Folter, auch von Minderjährigen. Es kam zu Aufständen und Großdemos. Und ich mittendrin – in Homs, einer der Geburtsstätten der syrischen Revolution.

Jetzt habe ich die Aufnahmen auf der Festplatte meines Computers dabei. Von meinen ersten Demos, von den gespielten Szenen mit dem berühmten Graffito und noch mehr. Alles eben, was für den Kinofilm noch fehlt.

Inzwischen ist die Revolution in ein wirres Gemetzel mutiert. Syrien ist ein zerrissener Kadaver. Die Frontlinien verlaufen quer durch die Familien, quer durch ehemalige Freundschaften, quer durch eine ganze Gesellschaft. Syrien war für mich lebensgefährlich geworden. In Damaskus suchte mich der Geheimdienst, in Nordsyrien waren die Islamisten hinter mir her, und sogar meine Freunde aus der syrischen Revolution hielten mich für einen Geheimdienstagenten der Regierung. Mit meiner Kamera verdiente ich kein Geld mehr ... Und plötzlich bin ich hier auf einem deutschen Flughafen als der Filmretter aus Syrien. Plötzlich habe ich eine Mission in Deutschland zu erfüllen. Auch diese Polizisten scheinen langsam zu ahnen, dass sie mich nicht daran hindern können. Sie gucken weiter böse, und ich grinse weiter. Und schließlich einigen wir uns darauf, dass es jetzt langweilig wird und ich durch die Schleuse darf. Sie haben mich nicht geschlagen. Und nicht beleidigt. Trotz der lupenreinen Papiere wurde ich zwar lange festgehalten, verhört und durchsucht. Diese Polizisten respektieren mich also auch nicht, aber sie respektieren wenigstens ihr eigenes Gesetz. Ein großer Unterschied. Vielleicht der entscheidende.

Meinen Pass und mein Visum hätten sie am liebsten einbehalten. Ja, die Deutschen lieben Papier wirklich. Ich soll mir die Unterlagen demnächst bei der Ausländerbehörde abholen. Von mir aus.

Ich grinse wieder, gehe durch die Tür – und betrete im nächsten Moment den größten Kokon der Erde: die westliche Welt.

Hallo, Leute, ich bin Firas Alshater, und jetzt komm ich auf Deutschland zu!

ONKEL, TANTE, TERRORIST

Es ist so kalt. Wieso ist es so kalt hier in Berlin? Im Kalender steht, hier ist jetzt Mai! Ich friere, seit ich aus dem Flughafen raus bin. Nach den frostigen Polizisten hält das Wetter auch nicht gerade einen warmen Empfang für mich bereit. He, Deutschland, bist du immer so kühl?

Mit fünf Jahren entschied ich, dass ich Deutschland nicht mag. Damals hatte mir dieses Land die erste Frau geraubt, die ich mehr liebte als jede andere auf der Welt – nach meiner Mutter natürlich: meine Tante. Eigentlich waren daran gar nicht die Deutschen schuld, sondern ein entfernter Verwandter, der aus Deutschland angereist kam, um sie zu heiraten.

Ich war bis dahin immer bei der Tante gewesen, und es hatte immer was Leckeres zum Naschen bei ihr gegeben. Als echter Zuckerbär liebe ich nun mal Süßes. Dass sie jetzt heiratete, war für mich deshalb auch kein Problem: Auf der Hochzeit gab es Süßigkeiten in Hülle und Fülle. Das ist bei uns so Sitte, wenn große Feste gefeiert werden. Die ganze Feier über habe ich kein bisschen darüber nachgedacht, dass diese Hochzeit mir meine Tante rauben würde. Denn mein neuer Onkel, der damals schon seit längerem in Deutschland lebte, nahm sie nach der Hochzeit einfach mit. Für mich ging die Welt unter. Mein lupenreiner Kinderverstand hatte jedoch schnell einen Schuldigen gefunden: Deutschland! Ich wusste natürlich nicht das Geringste über dieses Land, außer dass die Deutschen gut Fußball spielen. Und Mercedes-

Autos haben. Aber so ist das eben. Hass und Wut haben gar nichts mit Logik zu tun. Wenn man sich anstrengt, kann man alles hassen.

Aus Rache hielt ich bei der Fußball-WM zum iranischen Team und legte mich mit jedem meiner Kumpel an, der die deutsche Mannschaft toll fand. Das waren nicht wenige. Ich aber hielt aus Trotz weiter zum Iran. Dass die iranische Regierung den Diktator in meinem Land unterstützt, war mir als Kind nicht bewusst. Erst später habe ich erfahren, dass ich in einer Diktatur lebte. Mit fünf sind Süßigkeiten angesagt, nicht Politik.

Bei diesem räuberischen Onkel und der verlorenen Tante werde ich nun wohnen können, denn wie es der Zufall will: Sie leben in Berlin, wo auch die Produktionsfirma ihren Sitz hat. Und natürlich haben sie mich eingeladen. Jan hat mich vom Flughafen direkt hierhergefahren, wo wir meine Koffer vier Stockwerke hochtragen. Jan schwitzt und stöhnt, als er einen meiner Koffer, der besonders schwer ist, Stufe für Stufe nach oben hievt: »Hast du da das Familiengold drin, oder was?« Ich grinse. Kein schlechtes Bild. »Das sind meine Bücher!« Theaterbücher, Sprachbücher, Romane – alles, was mir etwas bedeutet. Natürlich Dostojewski. Und Gabriel García Márquez. Mein geliebter Anton Tschechow. Ohne die gehe ich nirgendwo hin, denn für mich ist kaum etwas wertvoller als Geschichten. Kein Gold der Welt kann einem alle Ängste nehmen. Egal, wie viel man davon hat. Aber wer ein gutes Buch liest, der bekommt zumindest eine Pause. Eine Auszeit zum Träumen. Deshalb liebe ich auch das Theater so – weil es dort einen Hauch der Freiheit gibt, den man in Syrien nirgendwo sonst atmen kann. Und da es schon immer mein Traum war, Schauspieler zu werden, habe ich Schauspiel studiert. Vor meiner Laufbahn als Filmemacher hielt ich am liebsten ein Theaterskript in der Hand – erst später waren es Kamera und Fotoapparat. Natürlich weiß ich, dass ich meinen Schauspielerberuf jetzt an den Nagel hängen muss. In Deutschland werde ich als Schauspieler niemals eine Chance haben, ebenso wenig wie in der Türkei, wo ich zuletzt gelebt habe. Ich spreche weder Deutsch noch Türkisch. Darum sind die Bücher alles, was noch bleibt von meinem Traum. Ja, in dem Koffer ist mein Gold, aber eigentlich ist da mein Herz drin. Und das ist noch schwerer als jedes Kilo Buchstaben.

Als wir jedoch im vierten Stock ankommen, wird dieses Herz im Nu ganz leicht, es macht sogar einen Hüpfer. An der Tür wartet eine alte Frau auf mich und nimmt mich in den Arm. Ich freue mich wie ein kleines Kind: Meine geliebte Tante und ich sind endlich wieder zusammen. Wir haben Tränen in den Augen. Und sofort gibt es heißen Tee. Die Deutschen können ja gerne Papier lieben, so viel sie wollen – wir Syrer lieben Tee. Gehst du als Ausländer durch irgendein Dorf oder eine Straße in Syrien, dann kommst du keine hundert Meter weit. Irgendwer wird immer rufen und dir einen Tee anbieten. Mit viel Zucker. Eigentlich Zucker mit Tee. Das macht die Augenblicke süß – und jetzt beim Tee neben meiner Tante habe ich so einen Augenblick ... Bis mein Blick auf die gegenüberliegende Wand fällt. Ich erstarre. Da hängt die Flagge des syrischen Regimes neben dem Konterfei des Präsidenten. Das ist etwa so, als wenn ein Deutscher irgendwo zu Gast wäre und die Hakenkreuzfahne im Wohnzimmer entdecken würde. Giraffenartig schaut Assad in Heldenpose auf mich herab. In jedem Foltergefängnis hing so ein Bild. Wie unter einem Peitschenhieb zucke ich zusammen. Wie kann das sein? Sofort stelle ich meinen Onkel zur Rede. Wie kann er diesen Diktator an der Wand haben?

Ja, Syrien ist eine klaffende Wunde, und die Schnitte verlaufen quer durch unser Volk, quer durch die gesamte syrische Gemeinschaft, wo immer wir auch leben. Auch quer durch Familien. Jahrelang hat mein Onkel hier in Deutschland nichts anderes aus der Heimat gesehen als die Propaganda im syrischen Staatsfernsehen. Er ist ein einfacher Mann. Deutsche Zeitungen sind nicht so sein Ding. Und darum ist der Präsident und Diktator Baschar al-Assad für ihn ein Held. Der Mann, der Syrien groß machen wird. Und Assads Feinde sind böse Terroristen und Kriminelle aus dem In- und Ausland. Auch ich bin jetzt in seinen Augen ein Terrorist. Das lässt er mich gleich wissen. Da kann ich sagen, was ich will, es spielt keine Rolle, er will mich nicht mal anhören. Das kenne ich nur zu gut. Wie viele Freunde habe ich schon verloren, weil sie lieber Gerüchten geglaubt haben als ihren eigenen Augen, denen es lieber war, wenn andere ihnen vorsagen, was richtig ist und was falsch, die Märchen anhängen – solange sie selber nur zu den Guten gehören. Mein Onkel hat im Fernsehen gesehen, dass Assad mit 99 Prozent der Wählerstimmen »demokratisch« gewählt wurde. Man braucht schon einen sehr speziellen geistigen Schließmuskel, um dabei keinen Lachkrampf zu bekommen. Bei meinem Onkel sitzt die Propaganda jedenfalls tief im Fleisch – so tief, dass ich, sein Verwandter, ein Verräter und Krimineller bin.

Das also ist mein erster Abend in Deutschland: weit entfernt von der Regierung, die mich verfolgt und gefoltert hat. Und selbst hier holt mich ihr giftiger Pesthauch ein. Meine Tante ist natürlich geknickt und völlig aufgelöst. Sie weiß nicht, was sie sagen soll. Aber die beiden sind ein traditionelles arabisches Paar – was soll sie schon sagen? Sie ist die Frau.

Und ich? Soll ich nun schreien oder weinen? Schon wieder steckt ein Keil zwischen mir und meiner Tante, denn ich werde nicht bei ihnen wohnen können. Allerdings bin ich inzwischen ein bisschen älter geworden und weiß jetzt, dass auch diesmal nicht die Deutschen schuld sind. Es ist mein Onkel oder vielmehr das Böse in Damaskus, die Diktatur, die dort immer noch regiert, die Tentakel ihrer Lügen reichen bis in die syrischen Hirne in Deutschland. Vielen Dank, liebes Satellitenfernsehen. Propaganda ungefiltert und frei Haus.

Keines meiner Argumente wird meinen Onkel vom Gegenteil überzeugen. Er gibt mir ein paar Tage, dann soll ich verschwinden. Schließlich sind drei Dinge in Syrien sicher: der Tee, die Familie und das Gastrecht. Wenige Tage stehen sie mir also zu, bevor ich sie wieder verlieren werde. Vielleicht ist es auch besser so. Denn ich liebe die Freiheit und lasse sie mir nicht noch einmal nehmen. Tante, es tut mir leid ... Um nicht weiter mit dem Onkel zu streiten, gehe ich kurz vors Haus, um ein bisschen frische Luft zu schnappen. Plötzlich höre ich ein Flugzeug. Es fliegt sehr tief, und reflexartig ducke ich mich. Aber es ist nur ein Passagierflieger im Landeanflug auf Berlin-Tegel. In Berlin herrscht Frieden.

Aber es ist noch kälter geworden.

SÜSSE DROGE FREIHEIT

Erschrocken wache ich auf: das Flap-Flap-Flap eines Hubschraubers. Ich springe aus dem Bett. So ein Mist, ist denn niemals Ruhe in Berlin? Wenn du heutzutage einen Hubschrauber in Syrien hörst, fallen kurz danach die ersten Bomben. Ich blicke aus dem Fenster: Alles friedlich, nur ein alter Mann wühlt in einem orangefarbenen Mülleimer. Das Flap-Flap-Flap wird leiser. Es ist noch arschkalt, obwohl die Sonne schon ziemlich hoch am Himmel steht. Berlin liegt einfach näher am Polarkreis als Damaskus. Gibt es hier vielleicht schon Nordlichter und Eisbären? Die Temperatur würde stimmen.

Etwas verpennt quäle ich mich die Treppen hinunter in die überfüllte Straßenbahn. Mein erster Arbeitstag. Als ich nach einer knappen Stunde – erstaunlicherweise ohne unfreiwillige Umwege – in Jans Studio ankomme, gibt es keinen Tee, stattdessen gleich eine Menge Arbeit. Ein bisschen schade, denn ich hätte gerne erst mal ausführlich mit Jan über die letzten Monate gesprochen, nun, da wir endlich etwas Zeit haben. Irgendwie ist Jan nach allem, was er für mich getan hat, so etwas wie Familie. Jedenfalls mehr als meine echten Berliner Verwandten. Aber die Deutschen sind zurückhaltend mit Gefühlen. Monatelang hat Jan mir geholfen, mich enorm unterstützt mit Geld und Rat und am Ende auch beim Kampf um das Visum. Dafür möchte ich mich richtig bei ihm bedanken. Aber das scheint ihm nicht so wichtig zu sein. Er hat ein deutsch-syrisches Kinoprojekt; und er hat dabei einen Syrer verloren. Jetzt hat er eben einen Syrer mehr oder weniger gerettet. Gut. Und weiter.

Ich lerne später viele Deutsche kennen, die genauso sind: Sie sehen ein Problem, packen es an. Und wenn es dann gelöst ist, feiern sie kein großes Fest, sondern bleiben nur einen Augenblick zufrieden stehen, nicken kurz, drehen sich um und schauen, wo es die nächste Aufgabe anzupacken gibt. Vielleicht kriege ich Jan aber doch noch dazu, auch mal zu feiern. Immerhin hat er ja wieder einen Syrer im Team. Ich mache erst mal Tee.

Und dann: Yallah*, let's work! Zunächst sichten wir meine Filmaufnahmen. Ich bin echt stolz darauf und würde am liebsten detailliert darüber reden, aber es geht extrem effizient zu. Einspeichern, sortieren, Labels erstellen. Ich bekomme einen dicken Packen Arbeit, alles Dinge, die ich gut kann – immerhin bin ich selber Filmemacher. Und vor allem bin ich der Einzige hier, der Arabisch spricht und Syrien kennt. So wichtig war ich wohl zuletzt bei den Demos in Homs, als ich die Gesänge per Megaphon angeleitet habe. Zum ersten Mal seit einer langen, langen Zeit bin ich wieder ein Mensch.

Ich muss mal, nach so viel Tee. Meine Güte, diese Deutschen – die lieben wirklich Papier. Sogar auf der Toilette gibt es statt Wasser zum Saubermachen nur diese Rollen mit Endlos-Küchenkrepp. Sie nennen es sogar so: Toilettenpapier. Nun gut, ich werde es schon noch lernen. Aber nur mit Papier abputzen? Hygienisch kann das nicht sein ... Ich vermisse unsere Wasserbrause, wir Araber spülen uns nämlich untenherum. Am Ende wasche ich mir

---

* Arabisch: Los!, Auf!

die Hände lieber zweimal. Na, wenigstens dafür gibt es auch hier in Deutschland Wasser.

Dann versinke ich in der Arbeit, das beste Mittel, um einfach mal abzuschalten. Jan ist ebenfalls konzentriert bei der Sache, und die Stunden rauschen dahin.

Seltsam, obwohl ich all diese Bilder aus Syrien auf dem Schnittmonitor vor mir sehe, fühlt es sich plötzlich sehr unwirklich an. Wie hinter Glas. Ich sortiere Bomben, Explosionen, Eindrücke aus einem Feldlazarett. Nicht schön. Aber es berührt mich gar nicht so sehr, obwohl ich doch alles selbst erlebt habe und mich auch erinnere, wie es sich damals angefühlt hat. Aber jetzt ist es merkwürdig weit weg. Ein ganzes Leben scheint seitdem vergangen zu sein. Jan hat mich später einmal nach den glücklichen Tagen in meinem Leben gefragt. Heute ist so ein Tag. Und so war es auch bei jeder Demo in Syrien. Davor und danach gab es lange dunkle Strecken – auch in meiner Kindheit. Aber davon will ich noch nicht sprechen. Ich will lieber erzählen, was auf den Demos mit mir passiert ist ...

Wie sah es damals in Syrien aus? Stellt euch einfach folgende Szene vor: Syrien ist ein Sandkasten, darin spielen die Kinder, drum herum sitzen die Mamas und beobachten ihre Kleinen ganz genau – auch wenn es auf den ersten Blick nicht so wirkt. Eine solche Szene in einem echten Sandkasten auf einem Kinderspielplatz habe ich übrigens zum ersten Mal in Deutschland gesehen: Wann immer ein Kind irgendetwas gemacht hat, was die Mama nicht toll fand, hat sie ihr Handy weggelegt und das Kind ermahnt oder ausgeschimpft. Und war es ganz schlimm, wurde das Kind aus dem Sandkasten geholt und auf eine Bank gesetzt, bis es sich wieder eingekriegt hatte. Manchmal schimpfte die Mama allerdings schon wegen Kleinigkeiten: »Mach dich nicht dreckig!« Hallo? Die Kinder sitzen im Sand! Na, egal.

Was das mit Syrien zu tun hat? Syrien ist der Sandkasten, in dem die Firas-Normalbürger sitzen und drum herum die Aufsicht. Big Brother is watching you. In Syrien bist du niemals ganz ohne Angst. Niemals ganz unbeschwert. Nie sprichst du einfach aus, was du auf dem Herzen hast. Immer ist da so ein diffuses Gefühl von »Gott sieht alles«. Bei uns darf man sein Kind nicht »Allah« nennen, denn der Name ist heilig. Also fragte ich meine Mama, ob dann auch der Name »Hafez« verboten sei; so hieß damals der Präsident, der Vater des heutigen Machthabers Baschar al-Assad. Meine Mutter lachte. Aber die Leute fürchteten die Regierung tatsächlich fast so, wie man sonst Allah fürchtet. Öffentlich fluchte niemand gegen Gott und schon gar nicht gegen die Regierung. Gott sieht alles, der Präsident sieht noch mehr. Seit vierzig Jahren haben wir in Syrien deshalb Angst vor Wänden, denn »die Wände haben Ohren« – diese Redensart kennen die Deutschen auch, habe ich inzwischen gelernt. Es ist bei uns wie im Sandkasten, nur dass man bei einem Fehler nicht auf die Bank, sondern in die Hölle kommt. Diese permanente Bedrohung ist sehr real, unsichtbar zwar, aber wie ein Geruch in der Luft. Nach einer Weile nimmst du ihn nicht mehr wahr. Bis zu dem Tag, an dem du zum ersten Mal frische Luft in die Lungen bekommst. Und genau das passierte mir auf den Demos. Zum ersten Mal im Leben für die eigenen Interessen öffentlich einstehen, in einer großen Gruppe von Menschen. Verbotene Worte durch ein Megaphon rufen. Ohne Angst. Ohne, dass sofort jemand kommt und dich für immer mitnimmt. Sprechchöre mit »Freiheit! Freiheit!« oder »Weg, weg, weg mit dem Dreck« oder »Eins, eins, eins – das syrische Volk ist eins!«. So etwas hatte ich noch nie gehört, nie erlebt, nie gesagt. Sonst passt immer jeder auf, jeder ist vorsichtig. Das lernen syrische Kinder bei uns auch ohne Sandkasten. Immerhin gibt es bei uns sage und schreibe 27 Geheimdienste. Kein Witz.

Als ich erstmals das Megaphon in die Hand nahm, um von Freiheit zu singen, war es, als wäre ich vorher stumm gewesen und könnte nun zum ersten Mal sprechen. Das war Energie pur – und ich sofort süchtig danach. Meine Droge war die Freiheit!

Und jetzt, hier am Schneidetisch, erlebe ich wieder einen solchen Glücksmoment. Ja, ich liebe die Arbeit mit Film, es ist herrlich, eine wirkliche Aufgabe zu haben. Das ist wahrlich nicht nur bei den Deutschen so: Du musst etwas Sinnvolles zu tun haben im Leben, wie kannst du sonst glücklich sein? Und was ich jetzt gerade tue, das könnte kaum sinnvoller sein. Ich arbeite an einem Kinofilm über meine Heimat, über unseren Kampf für Freiheit, unsere Tränen und Erfolge – auch wenn mir Syrien jetzt wie eine Heimat hinter Glas erscheint. Und wie eine Erinnerung, denn das Syrien, in dem ich groß geworden bin, existiert nicht mehr.

Und so, wie es hinter mir verblasst, liegt auch der Weg vor mir im Dunkeln. Denn in wenigen Monaten endet mein Visum. Und dann?

Es ist Wochenende, erstes Treffen mit Marie-Angela, einer Facebook-Freundin. Sie war es, die den Kontakt zwischen mir und Jan geknüpft hat, weil sie als Bekannte von Tamer Alawam unbedingt wollte, dass sein Filmprojekt vollendet wird. Ich bin ihr so dankbar. In Syrien aber habe ich ihr anfangs misstraut, denn ihr Profil war anonym. Doch dann schrieb sie von dem Kinoprojekt ... und jetzt treffe ich sie endlich persönlich. Ich soll auf so ein Fest, offenbar eine große Party, kommen – und ich mag Partys.

Als ich aus dem U-Bahnhof ans Tageslicht komme, lande ich allerdings nicht auf irgendeiner Party, sondern mitten im Berliner Karneval der Kulturen, also einem Spektakel, das man so in der gesamten arabischen Öffentlichkeit nicht erleben kann. Schrill, Alkohol in Strömen und viele halbnackte Männer und Frauen, die herumtanzen. Ich glaube, wenn man als Araber einen Kulturschock haben will, dann ist das der perfekte Ort dafür. Ich selbst bin ein ziemlich offener Mensch, als Student und Schauspieler sowieso. Aber es ist auch für mich ungewohnt. Marie-Angela lacht nur und nutzt die Gelegenheit, mir unglaublich viel zu erklären über diese Stadt und wie manche Dinge hier funktionieren. Der Karneval ist offenbar auch für die Berliner eine Ausnahme – die laufen nicht immer so herum. Das ist irgendwie beruhigend. Aber von mir aus könnten sie auch nackt tanzen. Hauptsache, es wird getanzt.

DER UNBEKANNTE HEIMKEHRER

»Aufstehen!« Es ist 9 Uhr morgens. Jan höchstpersönlich weckt mich, denn ich schlafe inzwischen auf einem Feldbett im Studio. Mein Onkel hielt seine Gastfreundschaft drei Tage aus, dann musste ich gehen. Aber wo sollte ich so schnell eine neue Bleibe auftun? Wie gut, dass ich ein paar Freunde in Berlin habe, denn sonst wäre ich jetzt aufgeschmissen: Versuch mal, in einer deutschen Großstadt eine Wohnung zu finden, wenn du A) kaum Geld hast, B) kein Deutsch sprichst und C) lediglich einen Pass aus Syrien vorzeigen kannst. Also bot mir Jan an, im Schneiderraum zu schlafen. Er hat hier alles für eine Notübernachtung, falls es abends mal sehr spät wird.

Ich bin ja eigentlich kein Flüchtling oder Asylbewerber in Deutschland, aber heute fühle ich mich ein bisschen so. Ohne richtige Bleibe, ohne eine Ahnung, wie es weitergeht, und mit nur wenigen Freunden. Doch die Arbeit lenkt mich ab. Allerdings arbeite ich heute an einer besonders heftigen Szene. Es handelt sich um Originalaufnahmen aus dem Gefängnis eines syrischen Geheimdienstes. Hunderte Männer auf engstem Raum, völlig verdreckte Löcher, alle Gesichter leer, und man kann den Uringestank fast riechen. Das kenne ich nur zu gut ...

Eigentlich habe ich sechs Onkel. Als ich zehn war, ging einer von ihnen nach Pakistan, um dort zu arbeiten. Bei seiner Rückkehr wurde er sofort vom syrischen Geheimdienst verhaftet. Man verdächtigte ihn, etwas mit den Taliban zu tun zu haben. Da das nicht der Fall war, ließ man ihn nach zwölf Tagen wieder gehen. Allerdings hatten sie ihn in den wenigen Tagen so schlimm gefoltert, dass er neun Monate lang ins Krankenhaus musste. Niemand aus der Familie durfte ihn besuchen, aus Angst, dass wir dann auch verdächtigt würden. Nicht besuchen, nicht darüber reden, nichts machen. Politik war zu Hause ein Tabu. Also fing ich an, mich für den Islam zu interessieren, in die Moschee zu gehen. Ich hatte den Eindruck, dass man dort etwas unbeschwerter reden konnte, was wenigstens einen Hauch von Freiheit versprach – und es ging mal nicht um die Selbstbeweihräucherung der Regierung. Mein Vater war dagegen. Wenn jemand zu religiös war, vermutete die Regierung sofort Kontakte zur Muslimbruderschaft, die bereits vor Jahren versucht hatte, gegen Präsident Hafez zu putschen. Damals ließ das syrische Regime 40 000 Menschen umbringen. Als Warnung. Drum entschied mein Vater: »Bete zu Hause. Gott hört dich auch von hier!« Daraufhin schaltete ich auf stur und betete überhaupt nicht mehr. Weder in der Moschee noch zu Hause. Also keine Religion, keine Politik, keinen freien Raum. »Denk an deinen Onkel.« Das war alles.

Und dann tauchte plötzlich noch ein Onkel auf, Rafik, ein Anwalt. Bis ich 19 war, hatte ich keine Ahnung, dass es ihn überhaupt gab, bis zu seiner Freilassung aus dem Gefängnis. Nach 23 Jahren!

In den 1980ern war er als junger Mann beim Geheimdienst gewesen, allerdings in einem Zirkel von Offizieren, die nicht mit der Regierung einverstanden waren. Vielleicht planten auch sie einen Putsch, vielleicht hatten sie aber auch nur einmal ihren Unmut geäußert. So genau weiß es niemand von uns. Jedenfalls wurde er am ersten Geburtstag seines Sohnes festgenommen. Seine Frau erhielt nur einen Anruf: »Vergiss ihn. Er kommt nie wieder.«

Sieben Jahre lang kein Lebenszeichen, bis eines Tages erneut ein Anruf kam. Im Gefängnis war eine Frau inhaftiert, die ihr Kind stillen musste, weshalb man ihr das Baby jeden Tag zum Füttern hineinreichte. Ja, in den Gefängnissen werden sogar Kinder geboren. Bei einer dieser Gelegenheiten hatte die Frau heimlich die Namen aller

Mithäftlinge auf einem Zettel notiert und in der Kleidung des Babys versteckt. So gelangte diese Information nach draußen. Das war eine der Heldentaten, die ich miterlebt habe – neben all den Teufeleien. Auch der Name meines verschollenen Onkels stand auf dieser Liste. Jetzt wusste seine Frau endlich – nach sieben Jahren –, dass ihr Mann noch lebte.

Als er dann entlassen wurde, war ich fast so alt, wie er bei seiner Verhaftung gewesen war. Meine Eltern und wir Kinder wussten nicht einmal, wie er aussieht.

Rafiks Geschichte machte mich zornig: »Was ist das für ein Land? Was ist das für ein System? Ein Vater darf sein Kind nicht sehen? Darf die Sonne nicht sehen? 23 Jahre lang?« Mein eigener Vater wollte mich beschützen, aber ich wollte keinen Schutz mehr, ich wollte das nicht mehr einfach akzeptieren. Ich wollte etwas tun, wusste nur noch nicht genau was. Damals fing ich an, die Regierung zu hassen. Das war kurz vor dem Arabischen Frühling.

Ich sitze in Berlin. Vor mir am Schnittcomputer diese Gefängnisszene. Auch ich schaffte es schließlich in eine solche Zelle. Keine 23 Jahre lang, aber jeder einzelne Tag war ein Tag zu viel. Die Erfahrungen sind noch frisch. Daraus jetzt einen Film zu machen hilft jedoch, ein bisschen Abstand zu gewinnen.

CONNECTIONS

Ich wohne inzwischen auf dem ausgebauten Dachboden einer deutschen Familie. Die Tochter, Vanessa, ist eine gute Freundin von Marie-Angela. Dass bei meiner eigenen Familie vor Ort kein Platz für mich ist, ist ein schwerer Schlag für mich als Syrer. Die Familie ist für uns Araber die Sozialversicherung, der einzige Schutz, den wir haben. Hier in Deutschland läuft das anders, zum einen übernimmt der Staat sehr viel, zum anderen hat man Freunde, Bekannte, Connections und oft sowieso nicht so viel Familie. Ich habe nun also meine deutschen Connections genutzt – und siehe da: Eine Notunterkunft ist dabei herausgekommen. Das Dachgeschoss soll demnächst saniert werden, bis dahin darf ich dort nisten. Schönes deutsches Wort: nisten. Kommt von Nest. Klingt gemütlich und warm, irgendwie nach Ei im Vogelnest. Mutter und Tochter engagieren sich für syrische Flüchtlinge, und ich darf auch alle meine Bücher mitbringen. Da bin ich gerne Ei.

Beim Nisten bin ich jedoch nicht besonders ordentlich. Wenn jemand gerne krümelt, zum Beispiel beim Essen, sagt man bei uns: »Das Hühnchen hinter dir wird satt.« Und bei mir dürften so einige Hühnchen satt werden. Ich will jetzt gar nichts entschuldigen, aber bei uns zu Hause war es bis zuletzt meine Mutter, die immer aufräumte. Es war einfach so Sitte. Wir Kinder haben uns da natürlich nie eingemischt. Hier in Deutschland werden Kinder frühzeitig dazu angehalten, im Haushalt mitzuhelfen, Eltern legen bei der Erziehung großen Wert darauf. Das finde ich auch nicht schlecht, aber ich bin da anders programmiert. Wo ich wohne, ist immer ein bisschen Chaos. Das passt auch zu meinem Seelenzustand. In mir drinnen ist genauso ein Chaos wie draußen. Nichts von den schlimmen Dingen, die ich erlebt habe, ist sortiert. Entsprechend sieht es um mich herum aus. Jedes Vogelnest ist wahrscheinlich besser in Schuss. So etwas in der Art deuten mittlerweile auch meine

Gastgeber an, indem sie das Wort »vorübergehend« auffallend oft betonen. Das ist auch in Ordnung so. Mich hat es eh beeindruckt, dass mir eine fremde Frau Obdach gibt, ohne dafür Geld zu nehmen. Einfach so aus Hilfsbereitschaft. Und ich dachte, die Deutschen seien nicht sonderlich offen und bräuchten länger, bis sie warm werden. Das hört man doch überall, sogar von den Deutschen selbst. Ist das Gerücht vielleicht Unsinn?

Im Büro hat Jan eine Überraschung für mich: Ich hatte ihm vor Wochen erklärt, dass ich gerne etwas Sport machen würde, immer nur sitzen und schneiden ist auf die Dauer anstrengend. Jan hat es sich gemerkt und mir Inlineskater mitgebracht. Seine Kinder führen nicht mehr damit, sagt er. Also mache ich meine ersten Fahrversuche gleich auf dem Gang im sechsten Stock des Bürogebäudes. Immer schwungvoller geht's hin und her. Doch selbst in Deutschland, dem Land der vielen Freiheiten, ist das offenbar nicht ganz so gern gesehen, und so probiere ich es dann lieber auf dem Heimweg. Nach zwei Beinahekatastrophen verstehe auch ich, was Fahrradwege sind. Vielleicht sollte ich lieber demnächst auf so ein Fahrrad umsatteln ... Ein bisschen Geld habe ich ja mit meiner Filmarbeit verdient. Damit wäre ich auf jeden Fall viel effektiver unterwegs. Hoppla, jetzt denke ich ja schon wie ein Deutscher: effektiv!?

PRIVATPATIENTEN HABEN'S LEICHTER

Wenn du in Syrien von hier nach da willst, nimmst du den Minibus oder ein Taxi, nicht das Fahrrad. Fahrrad fahren nur die Leute, die sich nicht mal den Minibus leisten können. Ich hatte deshalb nie eines und auch nie einen Sattel unterm Hintern. In Syrien können wir zwar eine Menge, was die Leute in Deutschland nicht vermuten, zum Beispiel schwimmen. Es gibt nämlich viele Schwimmbäder bei uns, zumindest in den Städten, und meine Schwester Dimah und mein Bruder Taufik gehörten sogar zum syrischen Schwimmerteam bei der Olympiade 2000. Mit dem Fahrradfahren aber ist das so eine Sache ... In Berlin hingegen gehören Fahrräder zum Lifestyle, und zum Glück habe ich ein paar Bekannte – unter anderen syrische Freiheitsaktivisten, die in Deutschland Asyl bekommen haben –, die sich nun dafür einsetzen, dass auch ich Fahrradfahrer werde, und mir ein ganz preiswertes Fahrrad besorgen. So schwer kann es ja auch nicht sein, denke ich, als ich zum ersten Mal aufsteige. Doch bleiben mir gerade mal 200 Meter, um zu lernen, wie man das Gleichgewicht hält, danach beginnt die Hauptstraße. Jan rennt hinter mir her: »Firas, bist du überhaupt schon mal Fahrrad gefahren?«

»Noch nie!«, rufe ich lachend und biege auf die Hauptstraße ab.

Jetzt ziehe ich jeden Morgen lächelnd am dichten Berufsverkehr vorbei. Hinten im Rucksack einen MP3-Player mit Hiphop auf voller Lautstärke. Es lebe der Drahtesel! Und sollte ich jemals nach Syrien zurückkehren, dann nehme ich nicht nur meinen goldenen Koffer, sondern auch mein geliebtes Fahrrad mit!

Es ist Frühling und somit laut deutschem Freizeitkalender offenbar Zeit für ein Picknick mit Freunden. Wir treffen uns am Landwehrkanal. Es ist zwar noch immer zum Bibbern kalt, trotzdem setzen wir uns ans Ufer und halten die Nase in die ersten Frühlingsstrahlen der Sonne, die auf dem Schmuddelwasser tanzen. Die tanzen ganz schön heftig, was aber vor allem daran liegt, dass etwas weiter entfernt ein Mann im Wasser planscht. Wirklich unglaublich die Deutschen, baden die, sobald die Eisdecke geschmolzen ist ... Ziemlich viele Leute haben sich dort am Ufer versammelt – und dann verstehe ich: Da wird nicht geschwommen. Da ist jemand am Ertrinken.

Die Leute fuchteln mit den Armen und rufen. Schnell habe ich Hemd und T-Shirt ausgezogen und ab ins Wasser, bevor irgendjemand einen Schnappschuss knipsen kann. Oh Mann, arschkalt, wie der Berliner sagt. Das Wasser kommt bestimmt direkt aus dem Himalaya. Als ich nach wenigen Metern bei dem zappelnden alten Mann ankomme, kann ich mich selber kaum noch über Wasser halten. Ein Rettungsring wird geworfen, und wir beide werden an Land gezogen. Der Alte kichert wie ein Irrer und stinkt. Er ist stockbesoffen. Aber wie alle anderen um mich herum auch stehe ich ein wenig unter Schock und kichere ebenfalls, allerdings klackern mir dabei die Zähne. Da kommt ein Helikopter. Ein Helikopter, der kommt, um einen Menschen zu retten? Für mich war ein Helikopter bislang immer etwas Bedrohliches. Glückliches Deutschland.

Fast zeitgleich trifft auch die Polizei ein. Die Beamten brauchen nur wenige Sekunden, um die Situation zu erfassen, und beginnen routiniert, mir einen Strafzettel auszustellen: »An dieser Stelle ist Baden verboten!« Erst kapiere ich nicht, was sie wollen, danach kann ich mich kaum noch halten vor Lachen. Aber sie finden das ganz und gar nicht lustig. Da mein Deutsch und das meiner Freunde zu schlecht ist und die Polizisten kein Englisch sprechen, gelingt es mir nicht gleich, ihnen die Zusammenhänge zu erklären. Also sage ich nur: »Ich muss ins Krankenhaus, ich friere mich tot!«

Sie wollen mich jedoch nicht gehen lassen, erst muss ich befragt werden. Da kommt mir der Besoffene zu Hilfe, der sich lallend bei mir bedankt – und schließlich glauben ihm die Polizisten, immerhin ist er kein Araber. Und so brauche ich für meine Rettungsaktion wenigstens keine Strafe zu zahlen. Aber sie würden sich noch mal melden, versichern mir die beiden Beamten, wegen der Zeugenaussage … Doch ich habe nie wieder etwas von ihnen gehört.

Den alten Mann nehmen die Sanitäter mit. Klatschnass und zitternd bleibe ich zurück. Meinetwegen, dann gehe ich eben zu Fuß hinüber ins nahegelegene Krankenhaus. Wieso sie allerdings den Betrunkenen nicht dorthin geschickt haben, weiß ich auch nicht. Im Krankenhaus sehen sie meine Aufenthaltsgenehmigung und setzen mich erst mal, nass, wie ich bin, in den Flur. »Bitte warten Sie hier.«

Haha, kommt mir bekannt vor. Nicht nur aus Deutschland.

Als ich sechs Jahre alt war, hatte ich in Damaskus einen bösen Unfall. Ein Minibus war über mein Bein gerollt. Der Fahrer wollte sich aus dem Staub machen, aber die Leute auf der Straße, die alles mitbekommen hatten, hielten ihn auf und zwangen ihn, mich zum nächsten Krankenhaus zu fahren. Das war ein staatliches Krankenhaus. In Syrien ist es ähnlich wie in Deutschland: Wir haben ziemlich gute Kliniken für Privatpatienten – und die anderen. In dem Flur eines dieser anderen Krankenhäuser wartete ich. Ganz alleine. Ich schrie vor Schmerzen, aber niemand kam. Mein Fuß war offen, die Haut abgeledert, die Knochen waren zu sehen. Überall Blut. Niemand kam. Also litt ich vor mich hin, ohne zu wissen, was ich tun sollte.

Am Abend erschien endlich mein Vater und machte sich sofort auf die Suche nach einem Arzt, fand aber nur einen Assistenten. Der fing gleich zu schimpfen an: »Sorgen Sie gefälligst dafür, dass Ihr Sohn hier nicht so rumschreit. Er stört die Ärzte.« Da hat mein Vater ihm kurzerhand ein paar runtergehauen. Anschließend brachte er mich in eine Privatklinik, wo er viel Geld für meine Behandlung bezahlen musste. Meine Eltern sind nicht arm, aber das war ein großes Opfer. Schließlich bekam ich sogar eine Hauttransplantation und blieb monatelang im Krankenbett, denn da die Wunde zu lange unbehandelt geblieben war, hatte sie sich auch noch entzündet. Die ganze Geschichte hatte aber auch ein Gutes: Die Krankenschwester, die sich um mich kümmerte, war wunderschön. Ich verliebte mich sofort in sie. Und sie mochte mich offenbar auch, denn sobald sie in mein Zimmer kam, nahm sie ihr Kopftuch ab und unterhielt sich mit mir. Ich war ihr »Habibi« – das ist das arabische Wort für »Schatz«. Ein Habibi kann übrigens so einiges sein: ein enger Freund, ein Verwandter, eine Geliebte, ein Pferd. Für manche Deutsche ist wohl der Hund ihr bester Habibi. Und für die schöne Krankenschwester war ich es nun. Ich weiß nicht, warum, aber ich wirkte schon immer anziehend auf Frauen. Vielleicht weil sie gemerkt haben, dass ich sie mag und respektiere. Die Zeit im Krankenhaus war dank meiner Liebe ganz wunderbar. Aber dann plötzlich heiratete sie und war weg. Mein sechsjähriges Herz war gebrochen, und meine Tränen tropften das ganze Bett voll.

Jetzt tropfe ich, wenn auch weniger salzig, im Berliner Krankenhausflur vor mich hin, seit einer Stunde schon. Ich bin aber kein Sechsjähriger mehr, und ehrlich gesagt, stinkt es mir jetzt. Denn wenn ich etwas gelernt habe seit meiner Kindheit, dann: Warten ist was für Idioten. Also bestelle ich mit nassen Klamotten ein Taxi und lasse mich heimfahren.

Am nächsten Tag habe ich zwar eine fiese Erkältung und muss den Rest der Woche im Bett verbringen. Aber alles in allem ist es ja gerade noch mal gutgegangen für den Penner und den Syrer.

KEIN WEG MEHR ZURÜCK

Es ist 8 Uhr in der Frühe, und ich bin einer der Ersten im Wartezimmer beim LAGeSo, dem Landesamt für Gesundheit und Soziales. Mein Filmprojekt neigt sich dem Ende entgegen. Fast drei Monate am Stück habe ich daran gearbeitet, und ich werde auch noch weiter gebraucht. Aber nun läuft mein offizielles Arbeitsvisum ab. Ich muss eine Entscheidung treffen. Allerdings gibt es da leider nicht mehr viel zu entscheiden. Ich kann nicht zurück, Syrien ist mir versperrt.

Hier im LAGeSo werde ich also Asyl beantragen – ich

weiß, dass ich es bekomme, wenn ich darum bitte. In meinem Fall ist das ziemlich eindeutig, ich muss nur das Unterhemd ausziehen. Doch nach drei Stunden Herumgesitze bekomme ich nicht etwa ein Asylgespräch. Nein, ich darf jetzt erst mal einen Wartezettel ziehen. Ich habe die Nummer 28. Und so warte ich und warte. Es kommen die Nummern 27, 30, 50 ... Ich frage nach: »Da hat doch die 28 gefehlt?!« »Nein, alles in Ordnung, das kann dauern, warten Sie einfach!«

Den Tag verbringe ich damit, die Nummernanzeige zu beobachten. Erinnert mich an McDonald's. Vielleicht hätte man denen den Job übertragen sollen, dort habe ich bisher nie länger als 15 Minuten auf einen Bic Mac gewartet. Wäre doch witzig: »Wollen Sie Mayo oder Ketchup zum Asyl? Und welches Spielzeug hätten Sie gerne für Ihre Kinder?« Was für ein sympathischer Anfang für all jene, die meist alles verloren haben. »Nein, kein Spielzeug, meine Kinder sind unterwegs ertrunken. Schenken Sie es dem Nächsten.«

Wie trifft man eine Entscheidung für das ganze Leben? Meistens gar nicht. Das erledigt das Leben schon ganz alleine. Es ist keine Frage mehr, ob ich Asyl beantragen soll oder nicht (vorausgesetzt, ich komme irgendwann noch mal dran). In Syrien und der Türkei wird mich früher oder später der Geheimdienst des Regimes schnappen. Auch die Islamisten haben mich schon eingesperrt. Und sogar einige meiner früheren Weggefährten aus der Freiheitsbewegung halten mich für einen Verräter. Das ist leider ziemlich normal, wenn man das Foltergefängnis überlebt hat: Irgendwer vermutet dann immer, man sei übergelaufen.

Der Tag vergeht quälend langsam, es wird Mittag, Nachmittag, Abend. Das Amt schließt in wenigen Minuten, da geschieht das Unfassbare: Meine Nummer, die 28, wird aufgerufen. Ich darf nach ewiger Wartezeit endlich zum Gesprächstermin. Der ist jedoch umso kürzer. Ein Übersetzer ist auch dabei, und der hat ganz offensichtlich so gar keine Lust. Er zeigt auf ein Papier und weist mich an: »Hier unterschreiben!«

»Aber was steht da?«, will ich wissen.

»Keine Zeit, unterschreib einfach!«

Er hat es wohl selten mit Leuten zu tun, die noch nicht völlig eingeschüchtert sind, aber ich weiß ein bisschen über meine Rechte Bescheid und hake noch mal nach. Es interessiert ihn nicht. »Du willst doch Asyl? Also unterschreib endlich!«

Ich bin sicher, die deutsche Sachbearbeiterin hat keine Ahnung, was da gerade auf Arabisch verhandelt wird, sie merkt nur, dass es länger dauert und ich der Grund dafür bin. Freunde mache ich mir damit nicht. Schließlich unterschreibe ich und bekomme als Dankeschön einen Zettel für den Kassenautomaten im Erdgeschoss, wo ich mir Geld abholen kann. Ohne Ausweis, ohne Fingerabdruck, nichts. Hauptsache, ich bin schnell versorgt und wieder weg. Ich hätte doch ein Betrüger sein können. Das erschüttert mich. Effizient? Bei der Autoproduktion vielleicht, aber im LAGeSo?

Ich soll in ein Flüchtlingsheim, obwohl ich schon eine ziemlich gute Bleibe habe. Aber das ist nicht vorgesehen: »Solange das Verfahren läuft, müssen Sie in das Heim. Vorschrift!«

Komplett sinnlos, ebenso wie darüber zu diskutieren. Und so verliere ich nun auch das letzte Quäntchen Unabhängigkeit. Ich schnappe meinen goldenen Bücher-koffer und rolle schon wieder mein Herz durch die Stra-ßen. Ins Heim.

Die folgende Zeit hat in meinem inneren Lebenslauf eine ganz eigene Überschrift bekommen, als ich Monate später meine seelischen Wunden von einer Psychothera-peutin habe behandeln lassen. Sie bat mich, die Phasen meines Lebens mit Hilfe von Kuscheltieren darzustellen: Diese sollte ich auf dem Teppich in eine Reihenfolge brin-gen. Es wurde eine lange Reihe – dabei war ich gerade mal 23 Jahre alt. Für meine Kindheit und die Jugend hatte ich verschiedene Stofftiere und Plastikspielzeug, für die Zeit der Revolution auch eine Ballerinafigur und einen Esel – nur die Zeit unmittelbar vor Deutschland blieb leer. Die Therapeutin fragte natürlich nach. »Das Tier hier ist unsichtbar«, erklärte ich. Das war meine Zeit im Niemandsland, zwischen Revolution und Deutschland. Eine Art Lücke. Meine ersten Monate in Deutschland hingegen waren eindeutig meine Kamelphase: Noch nie hatte ich so häufig und so lange gewartet. Nur ein Kamel kann das ertragen.

Erst sechs Monate nach meinem Antrag gibt es endlich einen Stempel für meine Papiere. Nun ist es offiziell: Ab heute bin ich Flüchtling.

Und damit beginnt meine Phase als Stein.

II

STEIN

WARTEN FÜR PROFIS

In die syrische Revolution bin ich hineingetanzt.

Nach Deutschland bin ich geflogen.

Aber in das Asylbewerberheim, da schleppe ich mich hinein.

Das liegt nicht nur an dem schweren Koffer mit meinen Büchern. Nein, es liegt an all dem, was ich nicht mit hineinnehmen kann.

»Asylbewerber« klingt richtig gut, oder? Als wäre Flüchtling ein Topberuf wie Telechirurg. Das wollte ich schon als Kind werden: »Mama, wenn ich groß bin, will ich Flüchtling in Deutschland sein!« »Aber ja, mein Sohn, das wird toll. Immer schön fleißig, dann schaffst du das schon. Papa wird auch stolz auf dich sein.«

Ich komme in ein Zimmer mit sechs Betten, alle offenbar nicht belegt. In der Mitte steht ein Tisch. Sonst nichts. Ach, doch: Ein Fußboden und eine Zimmerdecke sind auch noch da. Eine ältere Dame, die in dem Wohnheim arbeitet, erklärt mir: »Im Augenblick haben wir nur diesen Raum.« Nur ungern lasse ich meine Habe hier zurück – ich weiß ja nicht, wer da noch alles einquartiert wird.

Ich drehe eine erste Runde. Das Wohnheim ist nicht hässlicher als andere Gebäude in Berlin, aber es ist extrem voll. Und gleichzeitig so leer: Die Menschen hier haben alle etwas draußen vor der Tür gelassen.

Nachdem ich zum ersten Mal auf der Toilette gewesen bin, steht fest: Hier kann ich nicht bleiben. Kennt ihr den Unterschied zwischen den Toiletten hier und denen in einem syrischen Gefängnis? Ganz einfach: Es gibt keinen! Das liegt nicht am Putzdienst, sondern ist pure Mathematik: In beiden Etablissements sind es geschätzte 100 Nutzer pro Schüssel. Von daheim kenne ich eine tolle Erfindung: ein Abflussloch im Boden. Das gibt es in fast jedem Haus in den Toilettenräumen. Der Boden kann noch so dreckig sein, einmal mit dem Wasserschlauch durchspritzen, alles abziehen. Sauber. Hier sammelt sich stattdessen die stinkende Brühe am Boden. Und jeden Tag trägt der Putzdienst einen Eimer davon nach draußen.

Die ersten beiden Nächte verbringe ich sicherheitshalber bei einem Bekannten, dann erst traue ich mich wieder über die Schwelle meiner offiziellen Unterkunft. Am Eingang lese ich einen Warnhinweis, dankenswerterweise auf Englisch und Arabisch: Vorsicht, Krätze! Ihr wisst, was Krätze ist, oder? Kommt von Kratzen. Zwei Monate lang nicht waschen und viele Menschen zusammenpferchen, dann stehen die Chancen gut, sich diese fiese Hautkrankheit einzufangen. Da bohren sich dann so kleine Viecher unter der Haut durch, hinterlassen eine Spur aus Bazillen und Kot, und man bekommt juckenden Ausschlag und Schuppen. Ekelhaft. Krätze habe ich übrigens ebenfalls nur im Gefängnis in Syrien kennengelernt. Langsam frage ich mich, ob die Asylbewerberheime nicht so eine Art Insel sind. Drum herum ist Deutschland, und drinnen? Am liebsten würde ich gleich wieder umkehren, aber nur hier erhalte ich meine tägliche Essensration und meine Post.

Als ich mich am Empfang zurückmelde, ist tatsächlich ein Brief für mich angekommen, vom Amt. Der erste Brief meines Lebens. In Syrien bekam ich nie Post, denn dort läuft das mit der Post ganz anders, zum Beispiel hat fast niemand einen Briefkasten direkt am Haus. Ist das etwa schon meine Aufenthaltserlaubnis? Da steht zumindest eine fettgedruckte Nummer drauf, womöglich meine Aufenthaltsnummer? Schon nach zwei Tagen – das wäre ja gar nicht typisch deutsch.

Es handelt sich um engbeschriebene Seiten, aber ohne Übersetzung. Mehrmals drehe ich sie um, ob ich etwas übersehen haben könnte. Die Papiere am Flughafen und bei der Ausländerbehörde hatten wenigstens eine englische Erklärung, manchmal war auch etwas Arabisches dabei. Natürlich nicht alles, den Service gibt es nur für die Speisekarte im Fünfsternehotel am Potsdamer Platz, aber ich bin ja kein saudischer Prinz. Also bitte ich die gequält dreinblickenden Mitarbeiter am Wohnheimempfang um Übersetzung. »Keine Zeit.« Ich frage den Sozialarbeiter. Der hat eigentlich auch keine Zeit, denn immerhin ist er alleine für mehrere hundert Flüchtlinge zuständig. Aber offenbar mag er mich. Also setzen wir uns hin, doch auch er blickt genervt auf die Amtspost, weil er genauso wenig von dem Inhalt kapiert wie ich. Wenn der Westen irgendwann ISIS im Alleingang besiegen will, muss er nur einen deutschen Behördenbrief hinschicken. An dessen Übersetzung gehen die bestimmt zugrunde.

Was sollte in diesem Briefungetüm, mit dem mich der hilflose Sozialarbeiter zurücklässt, schon drinstehen? Bei meiner Asylmeldung wurden mir doch bereits jede Menge Infos und ein Packen Papier ausgehändigt. Ich weiß bestimmt alles, was ein Asylbewerber wissen muss:

1. Nicht Berlin verlassen (wie bei einem Häftling auf Freigang).

2. Kein Anspruch auf einen Sprachkurs (ach, deshalb ist meine erste Amtspost auf Deutsch).

3. Nicht arbeiten.

Und jetzt schnallt euch an, denn zwei weitere Tage später kommt noch ein Brief für Flüchtling Alshater, mit welchem man mir hochoffiziell meine Steuernummer überreicht. Falls ich Geld beim Nichtstun verdienen sollte? Später erfahre ich, dass in Deutschland jedes Baby eine Steuernummer erhält, aber keine Sorge, die dürfen auch nicht arbeiten. Deutsch lernen hingegen ist ihnen gestattet. Wenn mich heute jemand fragen würde, wie man sich als Flüchtling in Deutschland so fühlt, würde ich sagen: wie ein kriminelles Kleinkind mit Krätze.

Als ich in mein Zimmer zurückkehre, sind alle sechs Betten belegt, beißender Zigarettenqualm ist überall, doch meine Sachen sind weg. Zwei Mitarbeiter und ich suchen eine ganze Weile, bis meine Koffer endlich in einem der Abstellräume auftauchen. Da ich aber kein Bett mehr habe, wird mir ein anderes Zimmer zugewiesen, diesmal nur mit zwei Betten. Eine echte Verbesserung. Wer braucht schon Einzelzellen ... Pardon ... -zimmer? Immerhin bin ich nicht Privatpatient.

Ich lege mich hin und denke nach. Hier soll ich mindestens drei Monate bleiben? Und dafür dankbar sein? Für etwas, das ich gar nicht wollte? Wer will schon Almosen, obwohl er sie gar nicht braucht? Von nun an bekomme ich jeden Monat eine neue Zahnbürste. Brauche ich die? Egal. Jeden Tag bekomme ich einen Liter Milch, den ich nie alleine schaffe. Egal.

Bis vor einer Woche habe ich gearbeitet und könnte das auch weiterhin tun. Ich habe eine Videokamera, einen Schnittrechner und kenne Sender, die gerne arabische Nachrichten aus Berlin kaufen würden. In Syrien brachte ich etlichen Europäern Arabisch bei, gewissermaßen als Privatlehrer. Bedarf an Arabischunterricht gibt es bestimmt auch hier und jetzt in Deutschland, wenn ich mir die Qualität der Übersetzer so anschaue. Und die vielen Flüchtlinge. Eine Steuernummer habe ich schließlich schon. Ich könnte mich ernähren und Steuern zahlen. Wäre doch ein guter Deal. Geduldig erklärt man mir, diese Regelung solle verhindern, dass ich Deutschen einen Arbeitsplatz wegnehme. Ich soll also lieber ihre Steuergelder für literweise Milch und überflüssige Zahnbürsten verbrauchen? Und für einen Platz in einem Wohnheim, den ich nicht bräuchte?

Hier im Heim sind Menschen, die in ihrem ersten Leben Ärzte, Architekten, Web-Entwickler waren. Andere waren Bauern oder Hilfsarbeiter, aber hier sind wir alle gleich, und alle haben fast alles verloren. Soll das nun so bleiben, bis mein Asylantrag entschieden ist? Monatelang? Dabei habe ich als Syrer noch Glück; bei vielen Afghanen zum Beispiel kommt der Bescheid erst nach einem Jahr. Das Schlimmste ist die Ungewissheit. Das einzig Sichere: Es kann dauern. Da reicht es nicht mehr, ein Kamel zu sein, dafür musst du zu Stein werden.

NIEMANDSLAND

Endlich kann ich wieder ins Internet, denn neben dem Flüchtlingsheim gibt es zum Glück auch ein paar asiatische Läden, die günstige SIM-Karten verkaufen. Das Heim verfügt nämlich nicht über WLAN, und PC-Plätze sind noch weniger vorhanden als Toiletten, weshalb wir auf unserer Flüchtlingsinsel von der Welt abgeschnitten sind. Wer also weder das Geld für SIM-Karten noch Deutschkenntnisse hat, verliert schnell den Kontakt zur Außenwelt.

Ich habe selber kaum Geld, aber ich muss wissen, wie es meiner Familie geht, was in Syrien und der Welt passiert. Bislang sind meine Kontakte in Deutschland zwar sehr begrenzt, doch selbst die kann man ohne Internet fast vergessen: keine E-Mail, keine WhatsApp-, keine Facebook-Nachricht ... Das Internet ist nämlich nicht nur für Pornos da!

In der Tür steht ein Mädchen und schaut zu mir herein. Wahrscheinlich ist sie Serbin oder Albanerin. Weshalb aber windet und dreht sie sich so komisch hin und her? Plötzlich begreife ich: Das soll wohl sexy wirken. Aber sie ist noch zu jung, um zu wissen, wie das geht. Fast noch ein Kind. Ein Palästinenser, mit dem ich mich angefreundet habe, sagt, die Eltern des Mädchens würden es herumschicken in der Hoffnung, dass ihre Tochter schwanger wird, denn dann kann sie hierbleiben – und falls nicht, verdient sie auf diese Weise wenigstens ein bisschen Geld.

Die meisten Palästinenser in diesem Heim kommen aus Syrien, wo sie schon einmal Flüchtlinge waren. In Damaskus gibt es den Stadtteil »Yarmouk«, was so viel heißt wie Flüchtlingslager. Von einem Lager ist längst nichts mehr zu sehen, aber dort leben hauptsächlich Palästinenser, die seit der Gründung Israels aus ihrer Heimat geflohen sind und vom Nachbarn Syrien als Flüchtlinge aufgenommen worden waren. Das geschah nicht zuletzt als politisches Zeichen gegenüber Israel, dem Erzfeind aller Araber. Das lernt schon jedes syrische Schulkind. Natürlich führt die syrische Regierung keinen Krieg gegen eine Atommacht, so bekloppt sind Assads Mannen auch wieder nicht, doch seht alle her: Sie nehmen die Vertriebenen aus Palästina auf. Die arabischen Brüder, die dann brüderlich in Flüchtlingscamps gestapelt werden. Yarmouk gehört noch zu den besseren, aber die Gäste aus Palästina sind auch bei uns die Underdogs. »Ich komme aus Yarmouk« klingt auf Deutsch wie »Ich bin aus Hamburg-Wilhelmsburg«; »... aus Berlin-Marzahn«; »... aus München-Harthof«.

Seit der Revolution hat sich Yarmouk zum Mini-Panoptikum des gesammelten Wahnsinns in meiner Heimat entwickelt: Zu Beginn der Revolution lebten in diesem Stadtbezirk 150 000 Menschen. Ein brodelndes Gemisch, in dem Pro-Assad-Palästinensergruppen gegen revolutionsnahe Palästinenser kämpfen; vom syrischen Regime gibt es zum Freitagsgebet ein paar Fassbomben, und der IS hat sich dort natürlich ebenfalls eingenistet. Inzwischen sind nur noch 8000 Bewohner übrig. Wer überleben wollte, hat das einzig Mögliche getan: Abhauen! In die Türkei oder den Libanon. Einige Palästinenser sind sogar bis nach Deutschland geflohen und sitzen nun auch in diesem Berliner Flüchtlingsheim.

Das Mädchen ist wieder verschwunden, wahrscheinlich hat sie bei einem der Hehler und Drogendealer, die gerade durchs Haus gehen, mehr Glück gehabt. In diesem Moment dröhnt der Feueralarm los. Mal wieder. Mindestens viermal täglich, denn die Kinder im Haus spielen mit dem Alarmknopf. Eine Aufsicht gibt es hier nicht. Und jedes Mal kommt die Feuerwehr. Das andere Lieblingsspielzeug der Kids: der Fahrstuhl. Hoch und runter und wieder hoch. Für die Bewohner des neunten Stocks ist das ziemlich nervig ...

Am schlimmsten aber ist, dass ich den Kontakt zu allem und jedem verliere. Dieser deprimierende Ort bedeutet Stillstand und Einsamkeit. Der einzige Lichtblick sind die Minuten, in denen ich mit meiner Freundin in Syrien skypen kann. Allerdings muss ich immer warten, bis mich mein Zimmergenosse – ein extrem unsympathischer Landsmann, der qualmt wie ein Schlot und noch unordentlicher ist als ich – endlich allein lässt. Als meine Freundin Maya* schließlich online und der zweite Feueralarm mit Tatütata und viel Ärger vorbei ist, haben wir ein paar Minuten nur für uns. Allerdings habe ich nicht viel zu erzählen, weil hier einfach nichts passiert. Alles ist auf Halt. Sprich mal mit einem Stein über das Wetter. Ich merke, wie unsere Beziehung langsam genauso für mich verblasst wie alles andere ...

Deshalb bleibe ich dem Heim, in dem man höchstens hausen, aber bestimmt nicht wohnen kann, so oft wie möglich fern. Wann immer bei einem Bekannten eine Matratze frei ist, bin ich weg. Viele deutsche Freunde habe ich jedoch nicht, und die syrischen leben meist selber extrem beengt. Es ist auch nicht gerade leicht, hierzulande Kontakte zu knüpfen, jedenfalls um einiges schwieriger als in Syrien. Als ich zum Beispiel Marie-An-

---

* Der Name wurde geändert.

gelas Freunde auf Facebook anschreibe, ob man sich mal treffen könnte, erteilt sie mir sofort einen Rüffel: So etwas sei aufdringlich, ihre Freunde hätten sich schon bei ihr beschwert. Aha? Okay, sorry, das ist mir neu. In meiner Heimat sind die Menschen offener. Zwar bekommst du von ihnen keine Postkarten aus dem Urlaub für die nächsten zehn Jahre – das passiert erst, wenn du einen Deutschen zum Freund hast –, aber du bekommst doch ziemlich schnell einen Schlafplatz für die Nacht.

Zur Not aber kann ich ja auf dem Feldbett im Studio nächtigen. Als ich eines Morgens zur Essenausgabe ins Heim zurückkehre, sagt einer der Mitarbeiter: »Heute keine Milch für dich.« *Das* finde ich jetzt nicht sonderlich schlimm, denn ich trinke sowieso keinen ganzen Liter pro Tag, weshalb ich die Tüten in meinem Schrank aufhebe, um sie den Bekannten, die mich übernachten lassen, als Gastgeschenk mitzubringen. Oder ich nehme eine Tüte für Jans Kaffee mit ins Studio, wo ich ab und zu aushelfe. Kurzum: So viel Milch brauche ich sowieso nicht, aber dem Wohnheim wird sie bezahlt, also wird sie auch verteilt. Jetzt erfahre ich jedoch, dass die Mitarbeiter beim Stöbern ein paar Tüten Milch in meinem Schrank entdeckt haben. *Das* finde ich nun aber doch schlimm. Inzwischen kenne ich den deutschen Ausdruck »Mir platzt der Kragen«. Toller Ausdruck – und genau das passiert jetzt. Erstens: Niemand hat das Recht, in meinen Sachen zu wühlen. Zweitens: Ich bin kein Kleinkind, auch wenn ich eine Steuernummer habe. Drittens: Das Wohnheim kriegt das Geld für die Milch, ob sie mir die Tüten geben oder nicht. Eigentlich ist es ja nur eine Kleinigkeit, aber sie ist so typisch. Und hundert Kleinigkeiten sind dann doch eine Großigkeit, oder?

Eines Morgens ist mein qualmender Zimmerkollege verschwunden, als ich von einem meiner Heimvermeidungswochenenden zurückkehre. Wohin weiß niemand. Sein leerer Schrank steht offen, seine Kleider sind weg, ebenso seine Tasche – nur sein Müll ist noch da. An der Tür hängt eine Nachricht für mich, ich solle mich beim Wohnheimleiter melden. Der erklärt mir zunächst, dass mein Wunsch nach einem Zahnarzttermin bewilligt wurde. Den Krankenschein will er mir aber erst geben, wenn mein Zimmer – ein Schweinestall sei das – wieder sauber ist ... Ratsch. Schon wieder platzt mir der innere Kragen.

»Bei allem Respekt, Herr Offizier: Ich bin über zwanzig, nicht zehn. Und das Zimmer ist keine Zelle, sondern *mein* Zimmer, das ich mit einem Schmutzfink teilen musste, den ihr da einquartiert habt. Also räumt ihr bitte auch seinen Schmutz weg.« Das Ende vom Lied: Ich erhalte den Zahnarztschein, und mein Zimmer bleibt, wie es ist. Aber vor allem hören die Inspektionen auf, auch wird niemand anderes hier einquartiert. Sieh an. Offenbar hat die Unordnung mir etwas Ruhe verschafft. Deshalb behalte ich sie erstmal bei.

Vorsichtig schiebe ich den Müll etwas zur Seite, um mein Bett zu erreichen. Maya ist online, aber bevor wir ein bisschen skypen können, dröhnt laute Musik durchs offene Fenster. Ich schaue hinaus – unten haben ein paar Mitbewohner ein Auto geparkt und das Autoradio voll aufgedreht. Niemand scheint sich daran zu stören. Also knalle ich das Fenster zu und schiebe mich zurück durch den Müll. Meine Freundin ist glücklicherweise noch online. Ich will es mir gerade bequem machen, da geht der Feueralarm los.

Tief durchatmen.

Ich bin ein Stein. Ich bin ein Stein.

LIFE IS TOO SHORT TO
LEARN GERMAN

Inzwischen habe ich eine Entscheidung getroffen. Für mich gibt es keinen Weg zurück. Syrien ist Vergangenheit, und meine neue Heimat ist hier – wenngleich bestimmt nicht hier in dieser Sammelunterkunft. Aber hier in Deutschland. Ich bin erst knapp über zwanzig, wäre doch gelacht, wenn ich nicht schnell Deutsch lerne.

Haha. Ich und meine große Klappe.

Es gibt verschiedene Gründe, warum die Asylbewerber um mich herum so lange brauchen, um Deutsch zu lernen.

Grund eins: Sie dürfen es gar nicht. Mittlerweile hat sich da etwas bewegt, aber als ich 2013 ankam, wurde mir das klipp und klar mitgeteilt. Auf Deutsch natürlich: Kein Sprachkurs ohne Asyl.

Grund zwei: Es ist nicht besonders motivierend, wenn man nicht einmal weiß, ob man eine Zukunft in diesem Land hat oder nicht. Immerhin sind wir ja nur Bewerber.

Grund drei: Lern mal in einem Wohnheim mit null Privatsphäre eine fremde Sprache.

Grund vier: Deutsch ist einfach hammerschwer. Das sage jetzt nicht nur ich, sondern alle, die es wissen müssen: Voltaire, Mark Twain, Oscar Wilde ... Und Altphilologe Richard Porson stellte vor mehr als zweihundert Jahren fest: »Life is too short to learn German.«

Okay, ich habe schwierigere Dinge überstanden: Foltergefängnisse, Leukämie, Visum für Deutschland. Also lasst die Spiele beginnen: Deutsche Sprache, ich komme.

Etwas habe ich ja schon auf der Straße gelernt, und so frage ich mich denn tapfer durch und erfahre schließlich, dass es einen freien Kurs bei einer Stiftung gibt, den man auch als Asylbewerber besuchen darf. Das Geld stammt vom Europäischen Sozialfonds. Das ist Deutschland: Natürlich gibt es eine offizielle Politik (keine Deutschkurse ohne Asyl), aber irgendwie machen dann doch alle, was sie für richtig halten. Und jeder ein bisschen anders.

Eine Woche später sitze ich bereits gemeinsam mit anderen Asylbewerbern, aber auch vielen »normalen« Ausländern und Migranten, wieder auf der Schulbank. Ich lerne »Guten Morgen«, »Guten Abend«, »Wo, bitte schön, kann ich mir die Hände waschen?« Jan meint allerdings, dass es normalerweise einfach »Hi«, »Hallo«, »Servus« heißt oder auch ganz liebevoll »Na, du Penner?«, »Ciao«, »Mach's gut«, »Scheißwetter« oder ganz berlinerisch: »Tschüssi!« Und wer auf Toilette will, der »muss mal«. – Aber *was* muss er denn?

Das ist übrigens auch so eine Sache, liebe Neueinsteiger in die deutsche Sprache: Wenn im Satz ganz offensichtlich etwas fehlt, dann hat das einen Grund: Es weiß nämlich sowieso jeder, was gemeint ist! Außer dir.

»Ich muss mal.« Was muss ich? Pinkeln!

»Hast du schon gehört?« Was hast du schon gehört? Natürlich die neusten Nachrichten.

»Du kannst mich mal!« Von mir aus. Aber was denn bloß?

Ein Araber würde sich für diesen Satz mindestens zehn Minuten nehmen. Vielleicht arbeiten die Deutschen einfach zu viel. Und dann fehlt ihnen eben die Kraft zum Sprechen? Bei Profis klingt das dann so:

A: »Na?«
B: »Jo. Selbst?«
A: »Muss!«

In der Tat lerne ich da draußen im echten Leben viel mehr als in dem Kurs, wo es nur langsam vorangeht. Es gibt wie immer Papier, Papier, Papier. Ich verstehe das nicht, wofür haben die denn das Buch? Aber die Lehrer schleppen stapelweise Arbeitsblätter an. Und weil kaum ein Teilnehmer regelmäßig zum Kurs kommt, wird ständig wiederholt. Dann fehlen wieder einige Arbeitsblätter, und es wird wieder neu kopiert. Da gewinnt eher eine Schildkröte beim Hürdenlauf, als dass wir hier was lernen. Ich versuche, mich zu motivieren und zu konzentrieren, doch im Wohnheim kann ich das abhaken. Krach, Frust, Feueralarm. Von morgens bis spät in die Nacht.

Als ich die Aufenthaltsgenehmigung in der Tasche hatte, wurde mir erst der offizielle 600-Stunden-Kurs zuteil, danach folgte ein Aufbaukurs bis zum C1-Level, der zu einem Studium befähigen sollte. Alle Deutschkurse haben jedoch eines gemeinsam: Der gute Wille ist da, auch das Geld, aber niemand denkt über ein sinnvolles Konzept nach. Stell dir zum Beispiel einen Sprachkurs mit zwanzig Syrern, drei Palästinensern und zwei Irakern vor. Also 25 Araber unter sich. Was denkt ihr, welche Sprache in der Pause gesprochen wird? Ein gemischter Kurs mit Italienern, Spaniern und Arabern hätte jedenfalls sehr viel mehr Sinn gemacht. In dem offiziellen Kurs für Asylberechtigte lässt sich der arabische Überhang ja noch nachvollziehen, denn aktuell sind es nun mal hauptsächlich Araber, die Asyl beantragen. Aber der zweite Kurs wurde von einer Privatschule mit dem Geld aus einer Stiftung geleitet. Warum stecken sie dann alle Araber in einen Topf, statt hier für lebhafte Durchmischung zu sorgen?

Als ich mir in Syrien etwas Geld mit Arabischunterricht verdiente, war bei jedem Franzosen oder Engländer gut zu beobachten, wie wichtig der Alltag für den Spracherwerb ist. Einkaufen gehen, Tee trinken, schmutzige Witze lernen. Es war erstaunlich: Mit jeder neuen Woche konnten meine Schüler wieder so viel mehr. Einfach rein in die Sprache und draufloskommunizieren. Die Sprachkurse in Deutschland hingegen erschienen mir ebenso unsinnig wie diese Sammelunterkunft. »Stecken wir doch einfach alle mit den gleichen Problemen zusammen!« Coole Idee, wenn man Ghettos mag.

»Integration fängt beim Sprachelernen an«, lese ich in der Zeitung, und weiter: »Die Flüchtlinge müssen das auch wollen.« So ein Satz für Außerirdische macht mich traurig. Ich habe noch von keinem Kind gehört, das nicht sprechen lernen will. Aber die Eltern müssen das Kind auch wollen. Allerdings ist die deutsche Sprache wahrlich kein Kinderspiel für Deutschneulinge. Die Geschichte mit »du« und »Sie« – das mache ich bis heute falsch. Ich frage ein Kind immer noch: »Gehen Sie schon in die Kita?«, und die Dame am Postschalter: »Hey, wie geht's dir?« Und wer bitte hat all die Umlaute und Vokale erfunden? Wir haben im Arabischen genau drei: A, U und I. Damit hat es sich. Aber diese Deutschen quälen sich und uns mit au, äu, eu, ei, ie, ü, ö und ä. Das hat sich bestimmt irgendjemand mit Nierensteinen ausgedacht: Auauaua, Oioioi, Eeeeäääuaaaaarghhhhh. Deutsche machen ja gerne Witze über Türken: »Kauf dir ein Ü«, aber wenn sie sich selber mal mit arabischen oder türkischen

Ohren hören könnten. Ich höre vor allem viele Unterschiede gar nicht:

»Kirche« und »Küche«. »Eiter und Euter«. In meinen Ohren klingt das vollkommen gleich. Das kann echt peinlich werden. »Herr Doktor, ich hab da unten Euter.«

Und es gibt Wörter, die machen einen ganz schnell zum anständigen Mitbürger, denn kein Araber will jemals »Entschuldigung!« sagen müssen und sich dabei die Zunge gleich zweimal verrenken. Da sind wir lieber alle ganz brav und vorsichtig. Können die Deutschen nicht einfach wie ein Großteil der zivilisierten Welt »Sorry!« sagen? Musste es so ein Wortmonster sein? Aber es geht noch schlimmer: Sag mal »Eich-hörn-chen!«. Ich glaube, dafür braucht man einen Sprachführerschein.

Natürlich weiß ich, welch großes Glück ich habe. Denn bei der Frage »Folter in Syrien oder Deutsch lernen?« fällt die Antwort nicht schwer – zumal das Unglück, das ich bereits verbuchen kann, locker für ein ganzes Leben reicht. Aber wird der Rest meines Lebens auch zum Deutschlernen reichen? Richard Porson und ich sind da eher skeptisch.

WAS WILLST DU MAL WERDEN, FIRAS?

Ich will frei sein.

Schon in der Schule war ich nicht besonders angepasst. Immer wieder musste meine Mutter zum Direktor, weil Klein Firas sich danebenbenommen hatte. Ich war ein Querkopf, machte einfach, was ich wollte, nicht, was ich sollte. So ein Verhalten ist nirgendwo sonderlich beliebt, aber ganz sicher nicht in einer syrischen Schule. Dort geht es morgens mit dem Fahnenappell samt einer vaterländischen Unterweisung durch Offiziere los. Dabei geht es jedoch weniger um das Vaterland als um den Landesvater: Wir sollen Präsident Assad und die Baath-Partei, die beste aller Parteien in der arabischen, ach was, in der ganzen Welt, lieben. Wie langweilig. Kennt ihr diese Typen, die immer nur von sich selber erzählen und wie toll sie sind? Stinkeöde. Das habe ich natürlich immer mal wieder durchblicken lassen, was jedoch immer weniger gut ankam. Schließlich drohte man mir sogar, mich von der Schule zu werfen. Um mich zu bestrafen, schickte mein Vater mich kurzerhand auf eine andere Schule; die lag viel weiter entfernt und war nicht mehr privat, sondern öffentlich. Mit den Schulen in Syrien ist es so ähnlich wie mit den Krankenhäusern. Privat funktioniert es, öffentlich weniger ... Es ging dort zu wie beim Militär, was gut passte, denn die Schülerinnen und Schüler waren durch die Bank Alawiten wie Präsident Assad – und fast alle die Sprösslinge von Offizieren und Baath-Parteifunktionären. Das sollte wohl so einen dämpfenden Eindruck auf mich haben. Um die Sache mit den Alawiten etwas zu verdeutlichen, hier ein kleiner Witz aus meiner Heimat:

Ein neuer Lehrer aus Damaskus kommt in eine Landschule in Latakia* und fragt die Kinder zuerst nach ihren Namen und was sie später einmal werden wollen:
Lehrer: »Wie heißt du?«

---

* Latakia liegt in der alawitischen Region Syriens, wo der Jungenname Ali – so hieß der göttliche Gründer der Alawiten – sehr beliebt ist.

Der Junge springt auf und ruft: »Ali!«

Lehrer: »Schön, Ali. Was willst du mal werden?«

Ali: »Krankenhausdirektor.«

Lehrer: »Gut. Nächster. Du hier, wie heißt du?«

Schüler: »Ali!«

»Aha, gut. Ali, was willst du werden?«

Ali 2: »Polizeichef!«

»Na gut, und du hier, wie ist dein Name?«

»Ali. Und ich werde später Direktor beim Fernsehen!«

So geht es weiter: Ali, Ali, Ali ... Der Lehrer ist ein wenig erschöpft. Schließlich entdeckt er einen Schüler, der schüchtern in einer Ecke sitzt. »Da hinten, du da im Eck, wie heißt denn du?«

»Äh ... Ich, Herr Lehrer?«

»Ja, genau!«

»George.«

Der Lehrer ist hocherfreut. Endlich mal kein Ali.

»Großartig, George, phantastisch. Und sag mal, George, was willst du gerne werden?«

George knetet die Hände.

»Ähm ... Ich möchte gerne Ali werden.«

Ich selber wollte nie jemand anderes sein, um irgendwo dazuzugehören. Ich wollte immer nur Firas sein. Vielleicht hängt es damit zusammen, dass ich als Siebenjähriger Leukämie hatte und im Krankenhaus dem Tod begegnet bin. Das prägt.

Außer mir lagen noch zwei Kinder in dem Krankenzimmer: ein lustiger Junge namens Jamihl und Taghred, ein Mädchen, das furchtbar lieb war. Die beiden wurden meine ersten besten Freunde. Mutter hatte einen winzigen Fernseher für uns ins Krankenhaus geschmuggelt, auf dem wir heimlich »Tom & Jerry« oder Fußball guckten. Die übrige Zeit verbrachten wir damit, Spielzeug hin und her zu tauschen. So bekam ich zum Beispiel eine tolle Kung-Fu-Figur und Jamihl meine Comichefte.

Irgendwann wurde Jamihl entlassen, es ging ihm besser. Ich selber pinkelte in der Zeit Blut und war aufgedunsen wie eine Qualle, aber ich freute mich sehr für ihn. Nach einigen Wochen aber kam er wieder zurück. Und nun ging es ihm noch schlechter als mir – das ist das Tückische an dieser Krankheit: In der zweiten Phase wird es schlimmer.

Und dann war er plötzlich nicht mehr da, von einem Tag auf den anderen. Meine Mutter sagte, es gehe Jamihl endlich besser. Aber sie war keine begabte Lügnerin. Ich fragte nach seiner Telefonnummer, nach seiner Adresse. Niemand wollte sie mir geben. Ich gab nicht auf – und schließlich fragte ich die Putzfrau, die mir ehrlich antwortete: »Jamihl ist gestorben.«

Kurz darauf war auch Taghred verschwunden. Wieder wurde mir versichert, sie sei entlassen worden und nun zu Hause. Ich wusste es inzwischen besser. Neben den Büchern in meinem goldenen Koffer liegt auch eine kleine Kung-Fu-Figur, ich habe sie seither überallhin mitgenommen. Und ich weiß auch, was ich im Leben auf keinen Fall mehr sein möchte: alleine.

Denn das war ich nun. Nur meine Mutter schlief oft bei mir im Zimmer, als wartete sie darauf, dass ich ebenfalls an die Reihe käme. Aber ich hatte einen guten Arzt. In Syrien gibt es zwei Ärzte, die Leukämie – natürlich nur privat – behandeln können. Mein Arzt hatte in Deutschland studiert; in seinem Sprechzimmer hing sogar das Porträt seines deutschen Professors. Es beeindruckte mich sehr: So einen Lehrer hätte ich auch gerne gehabt.

Und eben dieser Arzt schaffte es tatsächlich: Nach vielen Monaten wurde ich entlassen – und kehrte nicht zurück. Vielleicht war der Arzt hervorragend, vielleicht war es aber auch nur Glück – doch meine Freunde hatte ich verloren. Das habe ich leider noch oft erlebt: Am Ende bin ich zwar noch am Leben, aber die Freunde sind fort.

Als ich nach so langer Zeit – immerhin war ein halbes Jahr vergangen – zurück in die Schule kam, mieden mich meine Klassenkameraden aus Angst, sich anzustecken. Sie wussten es ja nicht besser, aber ich war sehr einsam. Außerdem hatten mich die Erlebnisse reifer gemacht. Plötzlich hatte ich andere Interessen, sprach über andere Dinge. Ich hörte Musik mit anderen Ohren, nahm Klavierstunden. Meine Klavierlehrerin gab sich besondere Mühe mit meinem Unterricht. Ich liebte aber nicht nur die Musik. Ich liebte auch die Lehrerin, was meinem Fleiß beim Üben sehr zugutekam.

Da ich auch gerne las, am liebsten Lyrik, nahm ich in der vierten Klasse an einem Kunstwettbewerb teil, ich sollte ein Gedicht aufsagen. Ich war auch gar nicht schlecht. Doch zum Finale ließ die Schuldirektorin mich nicht zu: »Firas, du hast eine schwere Krankheit, du fällst vielleicht aus!« Ich kochte vor Wut, so ungerecht fand ich das. Ein Jahr später probierte ich es wieder, diesmal mit Klavier – und kam bis zum Landesfinale. Sogar die Frau des Präsidenten, Asma al-Assad, schaute zu einem medienwirksamen Essen vorbei. Es reicht eben nicht, sich über irgendetwas zu ärgern oder aufzuregen. Entscheidend ist, dass man nicht aufgibt.

Bücher, Theater und überhaupt alles, was mit Kunst zu tun hatte, wurde meine Leidenschaft. Die Theatergänger,

Filmliebhaber, Bücherfreunde waren so anders als die hohlköpfigen Offizierskinder in der Schule. Sie waren offener, wacher und vor allem freier. Schon als Jugendlicher ging ich häufig ins Theater, hatte Freunde und Bekannte aus der Künstlerszene – und dann, es war nach einem wunderbaren Theaterabend voller Inspiration, auf einem Berg unter dem Sternenzelt, bekam ich auch meinen ersten richtigen Kuss.

Klingt irre kitschig, wenn man es aufschreibt, aber für mich war alles, was das Leben schön macht, in diesem Augenblick vereint.

Und so wusste ich bereits mit 14 Jahren: Ich will Schauspieler werden.

INTEGRATION PER STEMPEL

Es ist Spätsommer 2013, mein Deutsch reicht für den Wocheneinkauf, wird aber nie reichen, um hier Schauspieler zu werden. Den Traum habe ich begraben.

Also gehe ich eben einkaufen. Klingt einfach? Von wegen! Versuch mal, in einer arabischen Kleinstadt mit ein paar Wörtern Arabisch alle Zutaten für bayerische Leberknödel zu bekommen ... Immerhin weiß ich aber inzwischen, dass einem in Deutschland zwei Worte viele Türen öffnen: »Drücken« und »Ziehen«. Und wie ein Einkaufswagen funktioniert, kapiere ich auch ziemlich schnell. Eigentlich ganz praktisch, mit so einem Wagen an den Regalen vorbeizuschieben. Und lustig: Man nimmt Anlauf, stemmt sich hoch und guckt, wie weit der Wagen rollt. Seitdem nehmen die Verkäufer bei Lidl um die Ecke lieber einen anderen Gang, wenn sie mich sehen. Allzu oft kann ich das nicht machen, sind ja richtig teuer diese Wägelchen. Jedes Mal ein Euro. Irgendwann klärt mich eine deutsche Bekannte auf, dass der Euro aus dem Wagen auch wieder zurückkommt, wenn man den Wagen eigenhändig in die Wagenreihe zurückschiebt.

Ups! Ich habe bestimmt schon siebzig Leuten einen schönen Augenblick beschert.

Meist kaufe ich Reis und Linsen, Unmengen an Joghurt sowie Sprudel für meine Freunde. Ich bevorzuge den Wasserhahn.

Am Tag meiner Ankunft hatte Jan mir eine Flasche Wasser gekauft, weil ich so durstig war. Sofort trank ich gierig drauflos – und mein Mund explodierte. Sprudel! Das war ein Schock – schließlich war ich noch nie zuvor Kohlensäure in einer Wasserflasche begegnet. Wie kann man denn nur so etwas trinken? Geht Integration nicht auch ohne Sprudel im Wasser? Wer will schon 7 Up ohne Geschmack.

Auf das Einkaufsband legt man hierzulande so kleine Plastikdreiecke hinter seine Einkäufe, damit die Kassiererin sofort versteht, was zu wem gehört. Das begreife ich im Nu, bin ja nicht blöd, und lege brav eines dieser Dreiecke hinter meine Sachen. Offenbar etwas zu schief, denn die ältere Dame hinter mir rückt das Dreieck mit eiskaltem Blick in einen perfekten rechten Winkel.

Noch ulkiger geht's bei der Leergutrückgabe zu – doch für jemanden wie mich, der gezwungenermaßen auf jeden Cent achten muss, führt kein Weg am Pfandautomaten vorbei. Bedauerlicherweise will er die Tetrapak-Kartons nicht, obwohl da so ein Recyclingsymbol drauf ist. Selbst die Plastikflaschen werden abgelehnt. Der Herr hinter mir wird langsam ungeduldig: »Die müssen Sie aufblasen, nicht so zerknautschen! Sonst kann er die nicht lesen.«

»Was?«

»Blasen, pusten!«

Aha. Also blase ich jede Plastikflasche mühsam wieder auf, bis sie rund sind wie am Tag ihrer Geburt, und werfe sie ein. Piep, piep, hurra. Der Automat verschlingt sie, um sie dann knirschend wieder zu zerknüllen.

Zum Spaß stecke ich meinen Arm in den Automaten. »Diese Flasche wird hier nicht akzeptiert!«

Ist ja gut ... Die Hürden sind eben hoch, wenn man sich integrieren will. Dabei habe ich den Test nach absolviertem Integrationskurs für Asylbewerber mit 32 von 33 Punkten bestanden. Ein Musterzeugnis der Integration. Ich besitze sogar einen Stempel, wie integriert ich bin. Doch für den Pfandautomaten reicht es offenbar noch nicht.

Hast du schon mal einen Integrationskurs besucht? Ist in etwa wie die deutsche Führerscheinprüfung: Du musst die 33 Fragen, die dir vorgelegt werden, richtig beantworten; insgesamt gibt es 300. Die kann man zwar auch im Internet nachlesen, aber zum Kurs musst du natürlich trotzdem gehen. Fächer sind Politik und Landeskunde. Man muss wissen, an welchem Tag des Jahres sich Leute bunte Kostüme anziehen (Rosenmontag) und welchen Senatorenposten es in Berlin *nicht* gibt (den für Außenbeziehungen - mal ehrlich, hättest du das gewusst?). Außerdem dreht sich viel um Gleichbehandlung und Freiheit, um Minderheiten und Frauen. Worum sonst? Immerhin schlagen wir alle unsere Kinder, hassen Schwule, unterdrücken unsere Frauen, aber wollen dreizehn von ihnen im Paradies, wenn's keine Umstände macht. Es ist nicht ganz leicht, gut gelaunt zu bleiben, wenn man da zwischen den Zeilen liest, was einem so alles unterstellt wird. Ist es nicht ein wenig blauäugig, taugliche Bürger per Führerscheinprüfung produzieren zu wollen? Man stelle sich deutsche Hooligans in einem solchen Kurs vor oder Eltern, die Kloppe für eine Erziehungsmethode halten. Dann lasse man sie und die Fußballrowdies den Ankreuztest machen, und schon haben wir gute Deutsche? Am Inhalt des Kurses ist im Grunde gar nichts auszusetzen – abgesehen davon, dass er uns Teilnehmer als unterentwickelte Halbaffen einstuft. Ehrlich, ich finde die freiheitliche Grundordnung in Deutschland, die Demokratie und Gewaltenteilung wirklich ganz hervorragend, aber in Syrien habe ich gelernt, misstrauisch zu sein, wenn es sich zu gut anhört.

Wie klingt zum Beispiel dieser Satz?

Die Gesellschaft beruht auf Solidarität, gegenseitiger Hilfe und Achtung der Grundsätze der sozialen Gerechtigkeit, Freiheit, Gleichheit und auf der Bewahrung der Menschenwürde des Einzelnen.

Klasse, oder? Das ist Artikel 19 der syrischen Verfassung, Stand 2012. Wenn ich mein Hemd ausziehe, kann jeder sehen, was mit Wahrung der Würde des Einzelnen in meiner einstigen Heimat gemeint ist. Im Internet gibt es über 60 000 weitere Bilder, deren klare Botschaft rein gar nichts mit Würde oder Freiheit zu tun hat.

Eine deutsche Redewendung sagt: »Papier ist geduldig.« Bestimmt gilt das auch für deutsches Papier, denn einer Frage im Integrationstest liegt die Behauptung zugrunde, dass die Menschen in Deutschland nach dem Grundsatz religiöser Toleranz leben. Nein, da steht nicht, dass sie das *sollen*, sondern dass sie es wirklich tun. Finde ich wirklich gut, und es kommt mir auch sehr bekannt vor: Neben fast jeder Moschee in Damaskus findet sich eine Kirche und gleich daneben eine Bar mit Alkohol – nur für die Touristen natürlich.

Seit meiner Ankunft in Deutschland habe ich mehrfach gelesen, dass erzürnte Anwohner gegen einen Moscheebau wettern. Ist das die gelebte religiöse Toleranz auf Deutsch? Ja, Papier ist geduldig. Nur Toilettenpapier nicht, das hat es eilig.

MEIN ERSTER HATER

Vielleicht ist die fehlende Toleranz, von der deutsche Medien berichten, wirklich nur eine Ausnahmeerscheinung. Ich habe in Deutschland jedenfalls fast keine Gewalt gesehen und noch weniger erlebt. Meine erste handfeste Auseinandersetzung in Deutschland war eine Kissenschlacht unter Studenten, die ihr Examen im Tierpark gefeiert haben. Kleiner Tipp: Wäscheknöpfe vorher nach innen, Brille ab. Ansonsten war es sehr lustig. Auch rassistische Anfeindungen kenne ich nur aus den Nachrichten. Aber ich bin ja auch nur einer und sehe nicht typisch »arabisch« aus. Trotz meines Vollbarts, auf den ich übrigens auch ein bisschen stolz bin, aber nur ein klitzekleines bisschen: Ohne Bartkamm aus dem Haus zu gehen kommt für mich gar nicht in Frage. Manche deutsche Frau hat mich schon für einen Hipster gehalten, aber noch keine für einen Terroristen. Das ist doch schon mal was, oder?

Bin *ich* also vielleicht eine Ausnahme?

Einmal habe ich von einem älteren Mann in der S-Bahn den Spruch zu hören bekommen: »Ey, warum hast du

Bart?« Tja, was soll man darauf sagen? »Den Bart hab ich von einem Freund geliehen, ist gar nicht meiner.« Jedenfalls war der wissensdurstige S-Bahn-Fahrer in meinen Augen kein Rassist, allerhöchstens ungehobelt und dumm.

Die andere Situation: frühmorgens in der U-Bahn, auf dem Rückweg von einer Party. Ich bin mit Daniel, einem Deutschen, unterwegs. Wir sind also das typische Berliner Multikulti-Duo. Uns gegenüber sitzt eine ähnlich bunte Konstellation: ein Schwarzer und zwei Weiße. Alle drei unterhalten sich auf Deutsch und sind voll bis Oberkante. Während ich mit Daniel die Party Revue passieren lasse, nenne ich ihn »Habibi!«, das arabische Wort für Freund. Der Schwarze bekommt das mit und fängt sofort an herumzupöbeln. Über meine Mutter, was er mit ihr anstellen will, äußerst präzise in der Wortwahl. Und warum ich dummer Araber hier »Habibi« herumrufe ... Er hat offensichtlich eine Menge gegen Araber und will es jetzt an mir auslassen. Schon ist der Kerl aufgestanden und hampelt herum, seine Freunde versuchen, ihn zu beruhigen. Die können jedoch selber kaum stehen. Der Araber-Allergiker hat inzwischen eine Glasflasche zertrümmert, wedelt mit der spitzen Seite vor meinem Gesicht hin und her. Er schreit, und ich verstehe nur die Hälfte, aber ich weiß, dass in Deutschland alle vor den bösen Arabern zittern. Also mache ich ein ganz arabisches Gesicht: Augenbrauen runter, Bart vorgereckt, funkelnde Augen. Ist verdammt schwer, dabei nicht zu lachen, aber wozu habe ich eine Schauspielerausbildung: »Setz dich hin, sonst hast du gleich Gurke im Ohr!«

Und tatsächlich: Er setzt sich hin, vorläufig zumindest. Die Fahrerin steigt in den Waggon, fragt, was hier los ist.

Als alle in der Bahn erklären, dass der Typ einfach nur besoffen sei und sich die Lage beruhigt zu haben scheint, warten wir alle geduldig auf die Polizei – doch die lässt sich Zeit, und unser kühner Fighter mit der Flasche ist schon wieder im Anmarsch. Also hau ich ihm jetzt eine runter, so dass er ziemlich lädiert zu Boden geht, und alle warten weiter auf die Polizei. Und warten. Und warten. Erst eine halbe Stunde nach dem Notruf erscheinen endlich die Beamten und versuchen, den Typen aus dem Wagen zu bekommen. Der wehrt sich, liefert sich ein Handgemenge mit den Staatsbediensteten. Schließlich bringen sie ihn weg, während Daniel und ich unsere Personalien angeben. Meine vorläufige Aufenthaltsgenehmigung beschert mir einen komischen Blick. Aber das bin ich gewohnt. Ich setze mein »Bin-ganz-unschuldig«-Gesicht auf. Das geht sogar mit schwarzem Vollbart.

Mein deutscher Freund hingegen ist in Sorge. »Ich will keinen Ärger mit den Behörden.« Wirklich, die Deutschen haben immer Angst: vor Arabern, vor ihrer eigenen Polizei, vor den Behörden und vor der Einkommensteuererklärung. Erst wenn sie besoffen sind, fürchten sie nichts und niemanden mehr. Ich beruhige ihn: »He, du bist in Deutschland! Hier muss man keine Angst vor der Polizei haben.«

Nur einmal habe ich die syrische Polizei im Einsatz für Recht und Ordnung erlebt. Das hat gereicht. Es war kurz vor der Revolution. Ich hatte ein hübsches Mädchen kennengelernt, eine Studentin. Ich selber wohnte damals bei meiner Oma, weil ich gerade Probleme mit meinem Vater hatte. Die Studentin wohnte in einer WG, hatte aber den Schlüssel in der Wohnung vergessen, und niemand war da, um ihr zu öffnen. Also übernachtete sie ein paar

Straßen weiter in einem Hotel. Mitten in der Nacht rief sie mich an: Ein Mitarbeiter des Hotels hatte versucht, sie zu vergewaltigen. Sie hatte sich in ihr Zimmer gerettet und eingeschlossen. Sofort rannte ich zu ihr. Als sie mir die Tür öffnete, weinte sie und weinte und weinte. Schließlich beruhigte sie sich. »Wenn du willst«, sagte ich, »kannst du bei uns übernachten!«

Es war inzwischen weit nach Mitternacht, als wir das Hotel verließen. Wir machten fünf Schritte, da hielt uns die Polizei an.

»Papiere!«

Ich erklärte die Situation: »Geht in das Hotel, nehmt den Typen fest!«

In meinem Ausweis stand noch die Adresse meiner Eltern, die offiziell im Yarmouk-Distrikt, also dem Palästinenser-Camp, liegt, obwohl es sich tatsächlich nur um den gleichen Verwaltungsbezirk handelt.

Die Polizisten lachten uns aus und unternahmen gar nichts. Stattdessen brachten sie uns auf die nächste Wache, verhöhnten mich: »Na, wolltest du Held spielen? Bist du Superman, he? Gib zu, du willst sie doch nur ficken!«

Das Mädchen war über zwanzig, dennoch versuchten die Polizisten, ihre Eltern zu erreichen, um ihnen mitzuteilen, dass die Tochter nachts alleine mit einem Mann auf der Straße unterwegs ist. Das war natürlich völliger Quatsch, schließlich kann sie nach syrischem Gesetz gehen, wohin, wann und mit wem sie will.

Die Polizisten prüften meinen Namen im System, fanden aber nichts Verwertbares. Obwohl ich zuvor schon vom Geheimdienst verhaftet worden war. In Syrien reden Polizei und Geheimdienst aber zum Glück nicht miteinander. Und selbst die zig Geheimdienste kochen alle ihren eigenen Reis. Aus dem Nachbarzimmer hörten wir, wie jemand geschlagen wurde und schrie.

Da nahm mich der eine Uniformierte mit nach draußen, weg von den anderen, ging mit mir um den Block, angeblich, um mich auszufragen. Aber sobald wir außer Hörweite waren, wollte er nur eines: Geld. Eine kleine »Gebühr«, dann dürften wir gehen. Dazu muss man wissen, dass Polizeigehälter in Syrien – genau wie Gehälter beim syrischen Militär – geradezu jämmerlich klein sind. Manchmal gibt es auch gar nichts. Von mir bekam er ebenfalls nichts, sosehr er auch drängte. Als wir von unserer Runde zurück waren, ließen die Polizisten uns schließlich ziehen. Ich vermute, sie waren einfach nur müde. Und wirkliche Macht besaßen sie nicht, die lag in den Händen der Geheimdienste.

Im Hotel indes war der Vergewaltiger vielleicht inzwischen über ein anderes Opfer hergefallen. Angst musste er jedenfalls keine haben.

Mein Tipp: Wenn du in Syrien Hilfe brauchst, rufst du nicht die Polizei, sondern deine Familie oder Freunde.

In Deutschland vergehen ein paar Monate, dann kommt es zum Prozess. Die Frage, ob es bei der Attacke auf mich einen sogenannten fremdenfeindlichen Hintergrund gegeben habe, lassen sie schnell beiseite. Ein schwarzer Deutscher greift einen Araber mit Aufenthaltsstatus an, der aber nicht wie ein Araber aussieht, außer wenn er mal böse guckt? Nein, das ist zu kompliziert.

Das Gericht sieht es genauso wie ich: Hier hat der Alkohol sich ausgetobt. Das ist übrigens etwas, das mir erst in Deutschland begegnet ist: viele Besoffene, einige davon extrem aggressiv. Deshalb denke ich aber nicht, dass man Alkohol verbieten sollte. Ich war auch schon mal besoffen, aber ich habe zum Glück niemanden angegriffen. Ich habe vor allem gekotzt.

Wahrscheinlich lässt sich das Problem eh nicht durch Gesetze lösen.

Das Gericht spricht den Schwarzen schuldig. Er entschuldigt sich sogar bei mir. Und ich, so heißt es, könnte nun eine Geldstrafe fordern. Das erscheint mir sehr sinnvoll. Der Lerneffekt ist dann vielleicht höher. Entschuldigung zu sagen kostet ja nichts – außer man ist Araber und verrenkt sich dabei die Zunge. Also bitte ich offiziell darum, auch eine Geldstrafe zu verhängen.

»Gut, wir melden uns.« Bis heute hat sich niemand gemeldet. Ich hätte es wohl besser schriftlich machen sollen. Die Deutschen lieben Papier.

FIVEHUNDRED MAILS

Die Zeit im Flüchtlingsheim nähert sich dem Ende – mein Asylverfahren nicht. Bis dahin kann ich im Heim bleiben, wenn ich das möchte. Leute, ganz ehrlich: Das möchte niemand. Du bist dort kein Mensch. Deshalb lauten die drei großen To-dos für jeden Flüchtling: Aufenthaltsgenehmigung, Wohnung, Sprache lernen. Und zwar in dieser Reihenfolge.

Einige von uns, mich eingeschlossen, haben aber noch einen weiteren Punkt auf ihrer persönlichen To-do-Liste: Sie müssen ihre Alpträume in den Griff kriegen.

Noch kann ich keinen dieser Punkte abhaken, trotzdem steht für mich die Wohnung im Moment ganz oben auf der Liste. Ohne Privatsphäre kann ich einfach keine Sprache lernen, und nur mit Englisch komme ich nicht weiter als jeder x-beliebige Tourist. Ich will aber keine Museen besichtigen, ich will einen Ort finden, den ich Heimat nennen kann – und sei es nur für eine gewisse Zeit. Das beginnt mit einer Tür, die man hinter sich schließen kann, und mit einer Toilette, die diesen Namen auch verdient, am allerliebsten natürlich mit einer Wasserbrause.

Da meine Kontakte zu Deutschen immer noch recht begrenzt sind, bleibt mir nichts anderes übrig, als Internetanzeigen zu durchforsten. Ohne meine SIM-Karte wäre ich verloren, keine Ahnung, wie hier jemand ohne Internet zurechtkommt. Aber viele von uns kommen ja auch nicht zurecht ...

Wohnung suchen für Anfänger. Meine Methode: Einfach auf *alle* Anzeigen antworten. Und siehe da, ein paar silbrige Fischlein verfangen sich im Netz. Ich werde sogar zu der einen oder anderen Besichtigung eingeladen. Halbe Stunde hin – »Ach, Sie sind Asylbewerber? Aha, so, so, na ja ...« –, halbe Stunde zurück. Es vergehen Tage, Wochen. Motivation schreibt man anders, aber wie in puncto Behörden gilt auch hier: Nur nicht aufgeben. Also schreibe ich brav weiter alle Anbieter an.

Dann – endlich – ein Lichtblick: Eine ältere Dame hat offenbar Mitleid mit mir, ich dürfe gerne dort wohnen, wann könne ich denn einziehen, erkundigt sie sich. Ja, Moment, das geht ganz, ganz leicht. Da wäre nur dieser Vordruck auszufüllen. Den muss ich dann zum Amt bringen, wo ich allerdings tagelang keinen Termin bekomme, dann eine genaue Prüfung der Wohnungsdaten, schließlich soll ein Asylbewerber nicht in einem Palast wohnen. Die Wohnung hat 24 Quadratmeter? Tut uns leid, das ist zu teuer. 19 Quadratmeter, in Ordnung, sofern die Grundmiete nicht zu hoch ist.

Nach einer Woche stehe ich samt Stempel wieder vor meiner potentiellen Vermieterin: Ja, ich darf die Wohnung mieten, das Amt bezahlt sie. Ich würde sie ja gerne selber bezahlen, aber ich darf nicht arbeiten. Wie bitte? Die Wohnung ist schon vergeben? Nach nur einer Woche? Ach so, Ihre Rente ist auch so knapp, da müssen Sie nehmen, was Sie kriegen ... Schade. Salam auch dir, nette Dame.

Wenn sehr viele Menschen sehr dringend etwas brauchen – was passiert dann? Genau: Die Betrüger haben leichtes Spiel. Ob Schlepper, Ausweisfälscher oder die »traurigen Ärzte«. Die kennt ihr noch nicht? Übersetzt klingen die etwa so:

»Lieber Firas, wir haben in der Tat eine Wohnung, eigentlich sogar ein kleines Häuschen. Wir sind Ärzte in London, und unser Sohn wollte in Berlin studieren. Deshalb haben wir ihm das Haus gekauft. Aber leider ist er vor einem Monat gestorben. Also ist das Haus jetzt frei, und wir können es dir gerne vorübergehend überlassen, ganz günstig, nur 250 Euro, damit es nicht leer steht. Wir benötigen nur eine kleine Kaution, dann schicken wir dir Adresse und Schlüssel. Unser Konto in XXYYY-PANAMA-ODER-NIGERIA-1234567-VERARSCH-DICH-BANK.«

Kaum zu glauben, dass einem so etwas in Europa passiert, und noch viel weniger, dass irgendjemand darauf hereinfällt. Aber einsame Frauen heiraten ja auch Heiratsschwindler. Wenn man etwas ganz dringend braucht, greift man schnell nach jedem Strohhalm.

So vergehen weitere Wochen. Als ich wieder einmal die perfekte Wohnung gefunden habe, gehe ich gleich frühmorgens zum Amt, um dort auf meine Sachbearbeiterin zu warten. Ich warte Stunde um Stunde, bis mir ein anderer Mitarbeiter gegen Abend mitteilt, dass meine Betreuerin krank sei. Vermutlich eine Woche lang. Nein, eine Vertretung hat sie nicht.

Am nächsten Morgen gehe ich trotzdem wieder zum Amt – und sehe meine Sachbearbeiterin durch die Tür kommen. Sie ist eigentlich sehr freundlich und ärgert sich ebenfalls über die Falschinformation. Sie habe niemandem gesagt, dass es eine Woche dauern würde, sie sei nur beim Arzt gewesen. Ich bekomme den Stempel und eile zurück.

Zu spät.

Nicht aufgeben, Firas.

Ich schreibe weiter. E-Mail für E-Mail. Nicht aufgeben. Nein, solange du lebst, hau in die Tasten. Aber irgendwann kommen keine E-Mails mehr zurück. Schließlich kontaktiere ich die Betreiber der Webseite und frage, was denn los sei. Der Administrator erklärt mir: »Wir haben Ihren Account geblockt, wir dachten, Ihre vielen E-Mails seien Spam. Niemand schreibt 500 E-Mails im Monat!«

Doch eines wunderbaren Tages ist es dann so weit, das zweite Wunder seit meiner Flucht aus Syrien: Ich bekomme eine winzige Wohnung in einem riesigen Plattenbau in Ostberlin.

Ich lasse die Tür ins Schloss fallen, setze mich auf den Toilettendeckel – einen anderen Stuhl habe ich noch nicht – und denke: So wahr ich ein Syrer bin ... Jetzt eine Party!

III
CHAMÄLEON

ERST DIE BRAUSE, DANN DIE SAUSE

Endlich habe ich wieder eine echte Toilette. Was für eine Wohltat. Und noch bevor ich in meiner Wohnung Lampen angebracht habe, hat mein Klo ein arabisches Update bekommen: eine Arschbrause. Kann man auch anders nennen, aber nichts anderes ist es. Mit Hilfe eines speziellen Sets inklusive Wasserbrause – das gibt es hier nicht an jeder Ecke – verwandele ich diesen barbarischen Papierkorb mit Spülung in ein vernünftiges Kulturgerät: Man zweigt ein Rohr von der Spülwasserleitung ab, bringt einen Drehknopf an – voilà, schon kann man sich den Hintern wieder richtig saubermachen. Deutsche Touristen vermissen im Ausland vor allem drei Dinge, habe ich mir sagen lassen: ihr deutsches Brot, ihren Hund und Toilettenpapier. Warum soll es mir anders gehen? Der Toilettengang gehört zu den intimen Dingen, die einfach stimmen müssen. Und eigentlich ist man doch da zu Hause, wo man sich auch auf dem Klo wohl fühlt, oder?

Aber bis wir hier eine vernünftige Party feiern können, muss noch eine Menge mehr passieren: Nach der Toilette sind die anderen Räume an der Reihe. Wer schon mal renoviert hat, weiß, was jeder Handwerker unbedingt braucht. Musik! Ich lasse mein Handy laufen, denn eine richtige Anlage habe ich noch nicht. Fünf Minuten später klingelt es an der Tür. Mein Nachbar, dem ich auf diese Weise erstmals begegne, brummelt etwas. Ich verstehe ihn allerdings nicht, weil mein Deutsch noch zu mager ist.

»Musik?«, frage ich nach.

»Ja, Musik. Die ist zu laut!«

Ich blicke auf mein Handy, auf die dicken Wände und bin verwirrt. Er meint wirklich die Musik aus meinem Handy? Um 5 Uhr nachmittags? Bei einer Wohnung am Alexanderplatz mit Tram und Autoverkehr vor der Tür?

»Aha ... äh, sorry?«

Er dreht sich um und geht. Kein »Hallo«, kein »Willkommen, Herr Nachbar«. Berliner können komisch sein. Und ich bin jetzt einer von ihnen ...

In der Nacht schrecke ich hoch. Ist da jemand auf meinem Klo? Ich höre es ganz deutlich. Dann geht die Spülung – und schließlich ist mir klar: Mein Nachbar war gerade auf dem Klo. Die Wände sind hellhörig, als wären sie aus Papier. Kein Wunder, dass er meine Handymusik gehört hat. Gerade will ich mich wieder in die Kissen sinken lassen, da höre ich unter mir jemanden sprechen. Gruselig. Wer in diesem Haus verheiratet ist, muss auf jeden Fall ganz leise verheiratet sein. Deshalb also habe ich diese Wohnung so günstig bekommen.

Die Einraumwohnung ist schnell eingeräumt, doch ausgenutzt sind die 30 Quadratmeter trotzdem noch nicht. Egal, Hauptsache, mein Koffer leert sich, und allmählich werden die vier Papierwände zu *meinen* vier Wänden. Herrlich. Als Erstes erstehe ich eine Spülmaschine, denn sonst würde ich nur noch Einweggeschirr benutzen. Mir ist diese »Jedes Glas muss blitzen«-Mentalität nicht vergönnt, und inzwischen weiß ich auch, dass es nicht nur mir so geht. Eine Spülmaschine ist für Menschen wie mich unentbehrlich.

Heute kommt mein Freund Harald zu Besuch, ein Journalist und Fotograf, für den ich Interviews aus dem Arabischen übersetze, dafür hilft er mir jetzt beim Einzug. Wir transportieren gebrauchte Möbel und hängen Lampen auf. Das Vorhaben, ein Loch für eine Lampe in die Wand zu bohren, entpuppt sich leider als hartnäckiger als gedacht. Die Maschine kämpft, ich drücke wie blöde, aber der Bohrer bohrt kein Loch. Ich sehe nach, ob mit der Maschine irgendwas nicht stimmt. Doch die Maschine dreht sich, trotzdem kratzt die Bohrspitze nur an der Wandoberfläche herum. Als sie schließlich zu glühen anfängt, gebe ich auf. Was sind das bloß für ulkige Wände? Jeden Pups kann man hören, aber der Bohrer versagt?

»Ey, was bohrt ihr so laut hier rum?«

Das Gebrumme kenne ich doch. Ich drehe mich um und schaue meinem Nachbarn verständnislos ins schnauzbärtige Gesicht. Er ist einfach durch die offenstehende Tür hereingekommen, ohne zu klopfen oder zu klingeln. Langsam werde ich sauer.

»Ja, ja, draußen bitte. Hier ist meine Wohnung!«

»Es ist 18 Uhr, da wird nicht gebohrt.«

Ganz ehrlich, es sollte wirklich Integrationskurse für Nachbarn geben. Selbst ich weiß inzwischen, dass man in Deutschland wochentags um 18 Uhr noch renovieren darf. Steht sogar in meinem Mietvertrag. Bohren inbegriffen, ob dabei nun Löcher herauskommen oder nicht ...

»Ich muss hier einziehen, bitte schön. Wann soll ich sonst bohren?«

Harald lehnt sich demonstrativ an die Wand – und der Herr Nachbar verzieht sich wieder. Man muss drei Dinge in Deutschland ertragen lernen: das Wetter, die Bürokratie und seine Nachbarn.

Als ich den Hausmeister im Treppenhaus treffe, frage ich neugierig nach: »Was sind das für Wände? Ich kann da nicht reinbohren!«

Dem alten Mann schwillt die Brust.

»Jaaaa, das sind deutsche Wände! Die halten noch was aus, das ist Plattenbaubeton. Da kannste deine Bohrmaschine vergessen. Da brauchst du einen Bohrhammer.« Er ist so freundlich, mir einen auszuleihen.

So, so ... An dem Gebäude hat offenbar die Stasi mitgebaut. Stasi-Spezialbeton sozusagen. Ein Loch zum Abhauen ist nur unter massiven Anstrengungen zu bewerkstelligen, aber ein Spitzel kann problemlos mithören. Da spart man sich die Abhörtechnik - sehr effizient.

Jetzt ist es wirklich an der Zeit für eine Party. Ich habe vier eigene Wände, ein Klo mit Brause und dank des Bohrhammers vom Hausmeister auch Lampen an Wänden und Decke.

Außerdem ist Ende März, sprich, mein Geburtstag naht. Ich lade alle ein, die ich in Berlin kenne, sind ja nicht so viele. Außerdem poste ich es auf Facebook, vielleicht kommen dann ja noch ein paar mehr, denke ich. Das war vielleicht keine so gute Idee in einer deutschen Großstadt wie Berlin.

Die Party wird ein voller Erfolg, mit Betonung auf voll; die Wohnung ist voll, die Leute sind voll, und ich bin voll verwirrt. Es kommen fast 130 Leute - darunter nur zwei Syrer. Keine Ahnung, wie die alle in meine Miniwohnung passen. Es ist so eng, dass wir nicht mal tanzen können. An der Wohnungstür entdecke ich irgendwann meinen Nachbarn, doch er schafft es nicht, bis zu mir durchzudringen, um sich über den Lärm zu beschweren, und zieht wieder von dannen. Wenig später fragt mich jemand: »Sag mal, kennst du den Typen, der hier feiert?«

»Nö, und du?«

»Nee, kenn den auch nicht, hab nur gehört, hier wäre 'ne Party. Prost!«

Dieser Abend hat mich zwei Dinge gelehrt. Erstens: Will man in Berlin gemütlich feiern, sollte man die Leute lieber persönlich einladen. Und zweitens: Eine Wohnung, die zu klein ist zum Feiern, gibt es nicht. Ich bin ein wenig beschwipst – denn ich bin so viel Moslem wie die meisten Deutschen Christen sind. Heute Abend gönne ich mir auch mal ein Fläschchen Bier mehr, immerhin werde ich 23.

Als auch noch die Polizei kommt (vermutlich hat mein Nachbar sie eingeladen), nimmt Harald – noch beschwipster als ich – die uniformierten Herren in Empfang.

»Das da isso einnnn Flüchteling. Is sein erster Geburstach in Freiheit, bidde, lasst ihn feiern.«

Tatsächlich verabschieden sie sich nur wenig später; die Sache ist ihnen wohl politisch zu heikel.

Irgendwann klingelt dann jemand bei meinem Nachbarn und lädt ihn ein mitzufeiern. Es ist wirklich keine gute Nacht für ihn.

Dass die Polizei in dieser Nacht noch dreimal an der Tür steht, bekomme ich gar nicht mehr mit, ich bin längst eingeschlafen. Aber das macht nichts, denn alle amüsieren sich bestens – außer jenen, die mal aufs Klo müssen; ich habe nämlich wieder einmal vergessen, Toilettenpapier zu kaufen. Am nächsten Tag fehlen allerdings ein paar Handtücher, warum auch immer ...

Noch wochenlang erzählt man sich von »Firas' Party«. Zwar habe ich nicht alle meine Gäste kennengelernt, aber mein Freundeskreis ist von einer Nacht auf die andere um gefühlte 500 Prozent gewachsen, es ist, als würde ich plötzlich halb Berlin kennen.

WEITERLEBEN

Die Beziehung zu meiner Freundin in Syrien hat keine Zukunft. Es hat mich viele Stunden des Grübelns gekostet, dieser Tatsache ins Auge zu sehen. Maya wird es nicht hierher schaffen, und wenn, dann irgendwann ... Mein Leben hier hat inzwischen Fahrt aufgenommen. Noch habe ich keine neue Freundin, das nicht, aber ich weiß, dass es eine geben wird, irgendwann. Ich will jedoch niemanden betrügen. Am allerwenigsten mich selber. Ich entwickle mich hier, ich plane hier, und eines Tages werde ich hier auch lieben. Darum muss ich unsere Beziehung jetzt beenden, das tut weh, ist aber fair.

Mit ihr darüber zu sprechen ist alles andere als leicht. Maya ist ein sanfter Mensch, aber nicht diesmal. Sie ist sehr verletzt und entsprechend verärgert. So habe ich sie noch nie erlebt. Aber schließlich ist es überstanden, nicht ohne Tränen, nicht ohne Streit, doch das gehört zu Trennungen wohl dazu.

Ich merke immer wieder, dass einige Deutsche ziemlich schräge Vorstellungen von Liebesbeziehungen in der arabischen Welt haben. Übrigens weiß ich selber nicht so genau, wie Liebe auf Arabisch abläuft. Oder gibt es die typisch deutsche Liebesbeziehung? Natürlich gibt es auch in Syrien Pärchen, Zärtlichkeit und all das. Man trifft sich, man küsst sich, man geht gemeinsam aus. All das ist auch in Syrien möglich, nicht ganz so offen wie in Deutschland, aber auch in Berlin, München und Bad Schwartau schlabbern sich die Leute in der Fußgänger-zone ja nicht permanent ab, oder? Anders wird es, wenn es darum geht, zusammenzuziehen. Für eine gemein-same Wohnung ist selten Geld da – da müssen oft die Familien unterstützen, doch die zahlen nur, wenn gehei-ratet wurde.

Und natürlich ist es auch noch ein erheblicher Un-terschied, ob du auf dem Land oder in der Großstadt l(i)ebst. In der Stadt ist man da mittlerweile doch sehr viel lässiger. Wenn junge Pärchen händchenhaltend durch die Straßen laufen, guckt niemand mehr komisch. Da sind die Saudis schon um einiges kritischer. Die las-sen ihre Frauen ja nicht mal Auto fahren. In Syrien hin-gegen fahren alle, egal, ob Mann oder Frau, aber fragt bitte nicht wie ...

Diese Phase meines Lebens – nach dem Wohnheim, als ich irgendwie weiterleben musste – habe ich auf dem Teppich der Therapeutin mit einem Chamäleon cha-rakterisiert, weil es ein Tier ist, das seine Farbe wechseln kann, ohne sich selbst zu verleugnen. Das fand ich so passend, dass ich mir prompt ein Chamäleon auf den Hals habe tätowieren lassen. Ich will dazugehören und trotzdem ich selber bleiben.

Dank meiner neuen Kontakte bin ich nun immer häufi-ger als DJ auf privaten Partys oder in Clubs unterwegs. Ein wenig fühle ich mich dann wie bei den Demos in Homs, wenn ich mit dem Mikro in der Hand die Leute anfeuere. Das Piercing, das mir seit kurzem in der Unter-lippe steckt, ist auch so ein »Ich gehöre jetzt zu euch«-

Zeichen. Und tatsächlich lande ich nun nicht mehr automatisch in der »Ausländerschublade«, wenn mich jemand zum ersten Mal sieht. Stattdessen sortiert man mich auch schon mal bei den »Hipstern« ein. Am allerbesten aber ist es, wenn die Leute nicht wissen, wohin sie mich stecken sollen.

»Sag mal, bist du wirklich Araber?«

»Ich bin Firas!«

Dass ich auch eine Menge neuer Frauen kennenlerne, versteht sich, aber ich tue mich schwer mit einer Beziehung. Viele Wunden aus der Zeit vor Deutschland sind noch zu frisch, dazu gehört auch meine Trennung von Maya. Es war richtig, aber ich fühle mich immer noch schlecht. Nur wenige Wochen später erhalte ich die Nachricht, in Damaskus habe es direkt neben der Universität einen Granatenangriff gegeben. Maya ist tot.

Ich bin tief betroffen. Nach unserem letzten Telefonat war sie so böse auf mich – und nun werde ich es nie wiedergutmachen können.

Schon wieder er! Er hat mich aus meiner Heimat katapultiert. Er hat einen Teil meiner Familie getötet. Und jetzt auch Maya.

Dieser verdammte Krieg. Diese verdammte Diktatur. Manchmal wünschte ich, an dem Gerede von Hölle und Fegefeuer wäre etwas dran; denn mir vorzustellen, dass alles ungestraft bleibt, ist kaum zu ertragen. Doch dann rüttele ich mich selbst: Ich habe mehr als genug Hass für ein ganzes Leben gesehen. Keine Hölle. Es muss noch etwas anderes geben.

METALLICA UND DER TEUFEL

Ich habe übrigens schon mit der Hölle Geschäfte gemacht, allerdings bisher nur mit höllischen T-Shirts. Daher weiß ich, dass Eddie, das Zombie-Maskottchen der
Band Iron Maiden, in der Hölle lebt. Nun ist Heavy Me-
tal zwar nicht so mein Fall, aber mit den T-Shirts solcher
Rockgruppen lässt sich in Syrien leicht Geld verdienen.
Ein Metallica-T-Shirt beispielsweise ist dort extrem begehrt. Während meiner Abi-Zeit habe ich mich nebenher
als T-Shirt-Verkäufer betätigt. Ziemlich erfolgreich. Das
Kaufmannsblut liegt bei uns in der Familie: Meine Mutter handelt mit Teppichen, mein Vater mit Wohnungen.

Wegen dieser T-Shirts ratterte ich zum ersten Mal mit
dem syrischen Regime zusammen. Mein Zulieferer kauf-
te die Ware billig in Thailand ein, und ich verkaufte sie
dann für etwa einen Euro das Stück weiter. Eines Tages
wurde mir in der Schule eine Einladung überreicht.
Darin forderte man mich auf, mich umgehend beim sogenannten Palästinensischen Geheimdienst* zu melden.
Dummerweise hatte dieser den Ruf, besonders schlimm
zu sein ... In meiner blauen Schuluniform machte ich
mich gleich auf den Weg. Und als ich an dem unschein-
baren Gebäude ankam, wartete schon mein Vater vor der
Tür auf mich. Damit wollte er mir wohl zeigen, dass er
sich keine großen Sorgen macht. Wird man bei uns in
Syrien ins Büro des Mukhabarat [Geheimdienst] zitiert,

---

* Die Namen der Geheimdienste sind historisch bedingt und haben heute keinerlei Bedeutung mehr.

gibt es den Spruch: »Kommst du aus dem Mukhabarat wieder heraus, wirst du noch mal geboren.« Heißt so viel wie: »Wenn du reingehst, bist du tot!« Was aber sollte an einem Scorpions-T-Shirt so verwerflich sein?

Im Verhör erfuhr ich es dann: Ich unterstützte damit »gefährliche satanische Gruppen«. Die Symbole auf den T-Shirts seien ja wohl eindeutig. Dass den syrischen Geheimdiensten ein umgedrehtes Kreuz Angst macht, war mir neu. Allerdings wurden zwischen 2008 und 2010 viele langhaarige Metal-Fans festgenommen. Denn Syriens Regime regiert das Land und seine Menschen mit Angst und braucht daher wie jede Diktatur eine dunkle Bedrohung. Nach vierzig Jahren Propaganda und Geheimdienstkontrolle mangelte es den Machthabern inzwischen an geeigneten Kandidaten für diese Rolle. Also waren nun Rockmusik-Fans die erwählten Verdächtigen. Womöglich haben sie gewürfelt, ob sie nun Metal-Fans oder doch lieber Linkshänder einsperren sollten. Ich war damals gerade siebzehn geworden und beileibe kein Metal-Fan. Und da noch nicht die Zeit der gnadenlosen Revolution gekommen war, musste ich nur für zwei Wochen in eine unterirdische Kammer, in der ich nicht stehen konnte, dazu Schlafentzug, Lichtblitze, permanente Wassertropfen – aber es war noch auszuhalten, weshalb ich auch einigermaßen intakt wieder rauskam.

Meine Karriere als T-Shirt-Verkäufer habe ich danach zwar aufgegeben, nicht aber meinen Vorsatz, niemals in die syrische Armee einzutreten. Das stand mir jedoch bevor, denn bei uns ist der Wehrdienst Pflicht für jeden jungen Syrer. Der einzige Ausweg: ein Studium. So etwas wie Ausbildung gibt es bei uns nämlich nicht.

Für mich kam nur das Schauspielstudium in Frage, obwohl es völlig hoffnungslos war, einen Platz zu ergattern, dafür braucht man gute Beziehungen – und die hatte ich damals noch nicht. Insofern stand ich nun vor derselben Frage wie später in Deutschland: Was könnte ich stattdessen tun? Da ich ein gutes Abi gemacht hatte, fing ich einfach irgendetwas an, Hauptsache, ich musste nicht zur Armee. Und so landete ich auf einer Fachschule für Hotel – Bereich Kochen – in Damaskus. Dort lernten wir alles, was ich nicht mochte: Rasieren, gepflegtes Auftreten, Service-Orientierung. In den arabischen Ländern ist Tourismus so wichtig wie in Deutschland die Autoindustrie. Kochen zu lernen wäre sicherlich auch ganz schön und sinnvoll gewesen. Aber dazu fehlte es an der vernünftigen Ausstattung und an geeigneten Küchengeräten. Erst im dritten Semester zogen wir in eine frischrenovierte Küche, doch gleich am ersten Tag explodierte der Ofen.

Von da an konzentrierte sich der Unterricht auf Staatsbürgerkunde. Kurz: »Al-Baath-Partei ist die beste Partei der ganzen Welt.«

Zunächst jobbte ich während der Ferien als Kellner in einem Hotel. Ich verdiente freiberuflich sogar mehr als die Angestellten, merkte jedoch schnell: Das ist nichts für mich. Das Hotel war voller Geheimdienstleute, einer von ihnen überwachte mich später, und vermutlich war er es auch, der mich meldete, als ich 2011 zu den ersten Demos ging.

Und so verlegte ich mich auf Arabischunterricht für Ausländer, denn ich konnte ziemlich gut Englisch. Da war ich mein eigener Herr, niemand redete mir hinein, und die Kontakte zu Menschen aus dem Westen hatten schon immer Spaß gemacht. Nur mein Traum, Schauspieler zu werden, blieb so unerreichbar wie eh und je. Darum baute ich einfach weiterhin auf eine der Aufnahmeprüfungen, obwohl es nur sehr wenige Plätze gab. Ich hatte mich schon beim Schulwettbewerb durchgeboxt, wäre doch gelacht, wenn ich es nun nicht schaffen sollte. Nur nicht aufgeben.

Und jetzt befinde ich mich in Deutschland in der gleichen Situation: Ich als Schauspieler mit meinem miserablen Deutsch? Vielleicht als Alibi-Araber in der zweiten Reihe. Um wenigstens etwas Filmluft zu schnuppern, arbeite ich ab und zu als Kameramann für arabische Sender, die Berichte aus Berlin brauchen, doch viel lieber engagiere ich mich bei freien Filmprojekten. Es macht einfach Spaß, obwohl es weder Geld noch Pluspunkte für den Lebenslauf bringt. Noch so ein heiliges Stück Papier hierzulande. Wertvoller als die Vita scheint nur noch das polizeiliche Führungszeugnis zu sein. Ich habe inzwischen gelernt, dass die Leute nicht ihrer Menschenkenntnis vertrauen, sondern diesem Stück Papier, wenn sie wissen wollen, ob du ein ehrlicher Mensch bist. Bei den Filmprojekten fragt mich zum Glück niemand nach irgendwelchen Papieren. Was hier zählt, sind Leidenschaft für die Sache, Köpfchen und die Bereitschaft, »ohne Geld« mitzumachen.

WIR SITZEN NICHT IM SELBEN BOOT

Ich kauere mich an die Bordwand, unser Gefährt schaukelt gefährlich auf den Wellen. Wir sind Flüchtlinge und unterwegs zu einem Hafen, einem Ort, der vielleicht Sicherheit bedeutet. »Tara« heißt er – und wir schreiben das Jahr 2046. Ein Student der Filmhochschule München dreht seinen Abschlussfilm.

Ein gemeinsamer Freund hat mich ihm empfohlen. Als Schauspieler. Den Quoten-Araber spiele ich zwar nicht, aber immerhin einen Flüchtling, wenn auch einen europäischen. Wir drehen mehrere Tage auf irgendeinem Fluss in Brandenburg. Heute Morgen ist es eiskalt. Die rechten Faschisten haben in unserer Heimat die Macht übernommen; und die Freiheitsrevolutionäre müssen den europäischen Kontinent per Boot verlassen. Dass ich selbst nie mit dem Boot fliehen musste, war unglaubliches Glück. Aber das gilt nicht für meine Geschwister – und das Meer ist immer noch tief. Fast alle, die nach Deutschland kommen, tragen in Gedanken eine Liste voller Namen und voller Tränen in ihrem Herzen. Meine sieht so aus:

Ein Onkel saß 23 Jahre im Gefängnis. Zwei weitere wurden teilweise monatelang in Homs gefangen gehalten und gefoltert. Ein anderer ist immer noch im Gefängnis, während ich hier sitze, aber ich darf auch seinen Namen nicht aufschreiben. Mein Bruder Taufik hat versucht, mit seiner Frau Nour und meiner Oma über das Meer nach Europa zu kommen. Sie wurden in Ägypten verhaftet und einen Monat lang eingesperrt.

Und dann hat diese Liste bei fast jedem von uns noch einen zweiten Teil. Darauf stehen die Namen jener Menschen, die nicht mehr da sind:

Mein neunjähriger Cousin Abdulrahman, gestorben bei einem Bombenangriff. Mein Cousin Khaled, erschossen von Snipern (Scharfschützen) der Regierung, während er mit seinem Taxi unterwegs war. Mein Onkel Bashar, ein Imam, ist seit 2011 verschollen, und das bedeutet fast immer tot.

Das sind meine Familienmitglieder, inzwischen sind

jedoch auch fast dreihundert meiner Freunde und Bekannten gestorben – auch Maya.

Märtyrer nennen wir die Getöteten, so wie früher die gefallenen Gotteskämpfer. Aber das ist nur ein schönes Wort, um dem Tod so etwas wie einen Sinn zu geben. Doch die Dschihadisten behaupten inzwischen ebenfalls, dass ihre Gräueltaten im Auftrag Gottes geschehen und jeder Selbstmordattentäter ein Märtyrer ist – und ziehen damit diese Idee in den Schmutz. Ein Märtyrer ist vor allem ein Held, jemand, der bereit ist, für seine Überzeugung das eigene Leben zu geben. Aber was ist heldenhaft daran, Unschuldige zu töten und sinnlos getötet zu werden? Ich glaube nicht an Märtyrer. In Wirklichkeit sind es Zufall und Willkür, die unsere Familienmitglieder heimsuchen. Das Regime tötet einfach flächendeckend, der IS verfolgt ebenfalls weltliche Machtinteressen. Und keine Bombe fragt nach deiner Religion. Die Menschen, die gestorben sind, unsere Liebsten, die Kinder und die Eltern, die Geschwister und die Freunde, sie waren anderen nur im Weg. Kaum bedeutender als eine lästige Fliege, die man nebenbei zerquetscht.

Ich zittere vor Kälte auf dem Filmboot unseres kleinen Science-Fiction-Streifens, während wir auf das GO! der Beleuchter warten. Plötzlich bekomme ich eine Facebook-Nachricht von meinen syrischen Freunden, Studenten und Freiheitsaktivisten wie ich, die ebenfalls die Heimat verlassen mussten und es bis nach Deutschland geschafft haben. Viele sind es nicht mehr, aber wir sind eng miteinander verbunden. Sie schreiben: »Da ist einer der Verbrecher in Deutschland angekommen. Wir müssen etwas dagegen tun!« Ich gehe auf den Link des

Facebook-Profils, das sie an mich weitergeleitet haben. Ich sehe unter anderen das Foto eines Hisbollah-Kämpfers mit Kalaschnikow lässig in der Hüfte, er posiert vor einem Haufen Leichen. Die libanesische Hisbollah unterstützt den Iran, der das syrische Regime unterstützt, indem er diese Guerillakämpfer ausrüstet, die wiederum Assad im Kampf gegen die Rebellen unterstützen. Wie ein Großwildjäger hat der Mann seinen Fuß auf den Rücken eines Toten gestellt. Stolz präsentiert er das Gewehr. Von Angst keine Spur. Seinem Post ist zu entnehmen, dass er jetzt in Bremen ist. Sofort lade ich alle Bilder herunter und so viele Daten wie möglich. Keine leichte Übung mit steifgefrorenen Fingern auf einem Fluss in Brandenburg, wo das Mobilfunknetz zu wünschen übrig lässt. Anschließend informiere ich die Polizei, denn die Fotos sind Beweise für schwerste Menschenrechtsverletzungen, und hier ist nicht mehr der Libanon oder Syrien, hier ist Deutschland – und hier gibt es verbindliche Gesetze.

Kurze Zeit später ruft mich der Bundesnachrichtendienst an. Sie wollen einen Wagen schicken, ich soll sofort zum Verhör.

»Ich kann nicht, ich drehe hier! Sie haben doch den Namen und das Profil, nehmen Sie den Mann einfach fest.«

Sie rufen noch zwanzigmal an, wollen wissen, wo ich bin, aber ich vertröste sie auf später, bis ich am Abend wieder an Land komme und meine genaue Position angeben kann. Fünf Minuten später werde ich von einem Dorfpolizisten zum Verhör nach Berlin gefahren. Während der Fahrt gehe ich kurz online: Tatsächlich ist die Seite des Typs nicht mehr zu finden. Er muss etwas mitbekommen und sein Profil deaktiviert haben. Ich hoffe, dass der Nachrichtendienst schneller war als die üblichen Behörden in Deutschland und die Seite bereits gecheckt hat.

Unterwegs fragt mich der Fahrer: »Warum kämpft ihr Syrer nicht für eure Heimat, statt dass ihr hierherkommt? Ich würde für mein Land kämpfen, wenn es bedroht ist. Ich würde mir ein Gewehr schnappen und loslegen. Was willst du überhaupt hier?«

Das ist nun wirklich nicht der Augenblick, in dem ich meinen Aufenthalt und die komplizierte Lage in Syrien erklären will. Trotzdem versuche ich es. Er hört mir gar nicht zu. »Warum bist du hier?« So geht es die ganze Fahrt über. Es war die erste Frage, die mir in Deutschland gestellt wurde, und seitdem habe ich sie bestimmt weitere hundertmal zu hören bekommen. »Warum bist du hier?« Und wieder wird Entscheidendes einfach weggelassen; denn im Grunde lautet die Frage ja wohl: »Warum bist du hier ... und nicht in Syrien?« Dieser Polizist ist jedoch nicht zu faul, er spricht es aus, erklärt mir, wie feige wir syrischen Flüchtlinge seien, weil wir nicht für unser Vaterland kämpfen. Dass ich dann auch meine Verwandten erschießen müsste. Mein verschollener Onkel Bashar zum Beispiel hat einen Sohn, der in Assads Armee gegen die Rebellen kämpft. Aber das ist dem Wachtmeister nicht beizubringen.

Zwischen seiner und meiner Welt liegt ein ganzes Meer. Darum sage ich nur: »Ich bin nicht mehr in Syrien, weil ich niemanden töten will!«

DAS MEER, DAS UNS TRENNT

Einige meiner Verwandten versuchen ebenfalls schon seit geraumer Zeit, dem Wahnsinn zu entkommen, so auch mein Bruder Taufik, seine Frau Nour und meine Oma. Erst wollten sie in ein Boot über das Mittelmeer steigen, wurden aber in Ägypten festgenommen. Jetzt sind sie nach einem Monat aus der ägyptischen Haft entlassen worden, Taufik und Nour, die im siebten Monat schwanger ist, sollen aber nach Syrien zurückgeschickt werden. Meine Oma hat einen jordanischen Pass, weshalb sie nach Jordanien abgeschoben wird. Um meine Schwägerin zu schützen, hat mein Onkel Geld bezahlt, so dass Taufik und Nour in Ägypten bleiben können. Aber sie unternehmen einen zweiten Versuch – zusammen mit meiner Schwester und meinem zwölfjährigen Bruder.

Es ist Ende 2014. Ein Boot hat die kleine Gruppe von Ägypten nach Libyen gebracht, wo sie viel Geld zahlen, um zusammen mit hundert Leuten in ein größeres Boot zu steigen. Danach höre ich nichts mehr von ihnen.

Bitte, bitte, bitte, sie sollen nicht auf den zweiten Teil meiner Liste.

Stille.

Inzwischen lese ich auch deutsche Zeitungen. In jeder wird über Flüchtlinge berichtet, allerdings nur über jene, die in Europa ankommen. Geflohen wird aber überall auf der Welt, vor den Toren Europas jedoch krepieren die meisten von uns, seit der Jahrtausendwende knapp 30 000. Wieso gerade der Weg nach Europa so tödlich ist? Nun: Etwa eine Milliarde Euro haben Menschen in den vergangenen fünfzehn Jahren bezahlt, um hierherzugelangen. Und etwa eine Milliarde Euro hat Europa investiert, um sie davon abzuhalten.*

Immer noch keine Nachricht von meiner Familie.

Seit der Arabische Frühling Syrien erreicht hat, war ich auf vielen Demos. Auch in Deutschland gehe ich auf Demos. Syrer und engagierte Deutsche halten die Fahne der syrischen Revolution hoch, um an den Freiheitskampf zu erinnern. Ein Freiheitskampf, der sich festgefahren hat und nur noch Flüchtlinge und Tote produziert. Es gibt Mahnwachen am Brandenburger Tor, um an die Gräuel des Krieges in Syrien zu erinnern, doch sie sind kraftlos, weil so viele Flüchtlinge in einem tiefen Tal der Depression stecken und die meisten Deutschen mit anderen Dingen beschäftigt sind, zum Beispiel damit, sich über die Flüchtlingspolitik ihrer Regierung aufzuregen oder über die Rassisten oder über die »Gutmenschen«. Und die Flüchtlinge selber? Sie werden gefürchtet oder bedauert, aber gehört werden sie nicht.

Keine Nachricht von meinem Bruder.

Die Demo »Die Toten kommen« beeindruckt mich jedoch sehr. Eine deutsche Künstlergruppe - so die Ankündigung - bringt einige tote Flüchtlinge vom Mittelmeer vor den Reichstag in Berlin. Jan und ich gehen dorthin,

---

* http://www.themigrantsfiles.com/

um die Demonstration zu fotografieren. Es kommen mehrere tausend Menschen, fast alles Deutsche, und sie bringen Schaufeln mit. Vor dem Reichstag fangen sie an, den Boden aufzugraben. Für Gräber. Ich weiß, dass es für viele von ihnen ein Happening ist, aber es ist genauso ein Ausdruck ihrer Wut auf die deutsche Politik. Unweit von mir stehen zwei Särge, ich weiß nicht, ob darin wirklich tote Flüchtlinge von den griechischen und italienischen Stränden liegen. Vermutlich eher nicht, aber es macht auch keinen Unterschied. Die verstörende Wirkung ist da. Doch für einen Syrer dürfte sich dieses Bild noch ganz anders anfühlen als für die deutschen Demonstranten. Ich habe selber noch Familie in Syrien. Liegen meine Eltern, meine Geschwister vielleicht auch bald in einem Sarg wie diesem? Ich bin hier, bin gerettet, aber mit welcher Perspektive? Ich blicke mich um. Ja, es ist eine tolle Aktion. Nur zwischen euch und mir, da liegt immer noch ein Meer.

Und irgendwie bin ich ja auch immer noch derselbe laute Firas wie auf den Demos in Syrien, Chamäleon sei Dank. Ich kann und will nicht meine Klappe halten. Da kommt mir Haralds Aktion gerade recht; er will Flüchtlinge zu Wort kommen lassen, ohne Fragen zu stellen und ohne inhaltliche Vorgaben. Sie sollen selber entscheiden, was sie in kurzen Videos erzählen möchten. Ich sage sofort zu, als Harald mich um Hilfe bittet. Mich reizt auch seine Idee, die Porträts der Teilnehmer auf fünf Meter hohen Plakaten an Berliner Hauswände zu kleben, darauf der QR-Code mit dem jeweiligen Video. Mein Gesicht in Übergröße auf einer Hauswand in Berlin?

Keine Sorge, ich bin zwar Schauspieler, aber natürlich kein bisschen eitel. Grins.

Zum ersten Mal werde ich meine Gedanken vor einer Kamera äußern, wie mir der Schnabel gewachsen ist. Ich beginne mit einem kurzen Lied. Das habe ich auch auf den Demos in Homs immer gemacht. Mensch, was haben wir damals gesungen! Hier hört jetzt allerdings ein anderes Publikum zu, Leute, die mich nicht kennen und die ich nicht kenne. Leute, die bestimmt wissen wollen: »Warum sind die hier?« – oder es auch lieber nicht wissen wollen. Hier bekommen sie jedenfalls echte Antworten.

Als ich mir später alle Videos der Flüchtlinge anschaue, spricht mir jede Antwort, obwohl so verschieden, aus dem Herzen. Eine Syrerin erzählt, dass die Propaganda des Regimes einen Keil zwischen sie und ihre Familie getrieben hat. Ich sehe eine junge Sudanesin, die davon berichtet, wie ihr in Deutschland die Menschenrechte entzogen wurden – Residenzpflicht wie für Kriminelle, 1-Euro-Jobs wie für Sklaven –, und sagt: »Ich werde aber nie wieder Sklave sein!« Und der junge Pakistani, der vor einem überfüllten winzigen Boot steht, das zu kentern droht, fragt sich, ob er sich daheim erschießen lassen soll oder lieber auf dem Meer ersaufen will. Man hat ja immer eine Wahl. Ein Medizinstudent aus Damaskus in Syrien, der die verletzten Demonstranten medizinisch versorgt hat, wenn das Regime auf sie geschossen hat, flog deshalb von der Uni und landete im Foltergefängnis; danach musste er vor den Islamisten und dem Regime fliehen – in Syrien hätte er nicht überlebt. Nun ist er in Deutschland, wo er ohne Studienzeugnisse bei null anfangen muss. Es ist sehr befreiend, von den Dingen zu hören und zu erzählen, die ich nicht vergessen kann. Auch von der Folter. Aber ich muss kein Stein mehr sein, um es auszuhalten.

Das Handy klingelt. Mein Bruder und Nour! Sie sind sicher angekommen. Mir fällt ein riesiger Stein vom Herzen – ich mag diesen Ausdruck. Vier Tage waren sie auf dem Meer, und der Proviant war viel zu schnell aufgebraucht. Sie dachten, sie müssten sterben. Aber dann sind sie doch in Italien angekommen, wo sie auch sofort versorgt wurden. Ich schalte natürlich gleich in den Organisationsmodus: Zunächst besorge ich vier Zugtickets. Ich möchte, dass sie auch nach Berlin kommen, was allerdings eine kleine Odyssee bedeutet: von Italien über Frankreich nach Wien und erst dann nach Berlin ...

Irgendwo an der deutsch-österreichischen Grenze werden sie jedoch aufgehalten. Wieder Funkstille.

Als mein Bruder sich endlich erneut meldet, sind sie in Karlsruhe gelandet, in der dortigen Erstaufnahmeeinrichtung. »Was macht ihr denn da?«

Das wissen sie auch nicht, aber ihnen wurde gesagt, sie sollten dortbleiben, einen plausiblen Grund gibt es nicht. Da sind zwar der Bruder in Berlin und die bezahlten Zugtickets – aber das System kassiert lieber erst mal ihre Pässe.

Also organisiere ich über die Mitfahrzentrale eine Fahrt nach Berlin, Papiere hin oder her. Fünf Minuten vor der vereinbarten Abfahrtzeit jedoch ruft mich der Fahrer an. Er müsse absagen, denn ihm fehle ein Platz. »Sorry.« So ein Mist, aber nach einiger Telefoniererei finde ich einen anderen Fahrer, und so kommen die vier doch noch hier an. Als ich am nächsten Tag bei der Polizei in Karlsruhe nach den Pässen frage, sind diese verschwunden.

Wie schön, dass die Flüchtlingsbürokratie nicht nur in Berlin so herrlich ineffizient ist. Aber egal, Hauptsache, die vier sind in Sicherheit und in meiner Nähe.

WER SIND DIESE DEUTSCHEN?

Die Deutschen feiern Weihnachten 2014, aber mir ist einfach nur kalt. Ein Chamäleon mag seine Farbe ja der Umgebung anpassen, dem Wetter ist es trotzdem ausgeliefert. Auch der Presse. Zwei Themen dominieren die Nachrichten: Flüchtlinge und IS. In Aleppo schmeißt die Regierung mit Fässern, die mit Sprengstoff und Metallsplittern gefüllt sind, sogenannte Fassbomben, auf Kinder, aber das schafft es kaum in die Nachrichten. Warum, frage ich mich. – Weil keine deutschen Kinder darunter sind? Als die Boko-Haram-Schergen Schulkinder entführten und die Mädchen versklavten, ist die mediale Empörung dagegen groß. Doch davon, dass diese islamistische Terrorsekte noch viel Schlimmeres anstellt, lese ich nichts, stattdessen wieder und wieder über die verschleppten Mädchen (obwohl auch Jungen darunter waren). Es ist eben eine schaurig-schöne, sprich gut verkäufliche Geschichte. Zerfetzte syrische Babys mit heraushängendem Gehirn? Ach, das hatten wir doch gestern schon so ähnlich ...

Weder Boko Haram noch der IS haben einen Stützpunkt in Dresden – dennoch beginnen dort die Patrioten, gegen die Islamisierung des Abendlandes zu Felde zu ziehen. Typen wie mein neugieriger Dorfpolizist, Leute, die nicht zuhören, die fragen: »Was machst du hier?«, aber meinen: »Mach, dass du wegkommst!« Ich höre über diese Menschen in den Nachrichten, aber recht glauben kann ich es nicht. Ist das real? Ich jedenfalls habe noch keine echten Rassisten getroffen. Auf der Straße erlebe ich keine Angriffe. Schützt mich das Lippenpiercing? Bin ich schon so ein perfektes Chamäleon?

Im Fernsehen erfahre ich, dass Flüchtlingsheime angezündet werden, und aus Syrien weiß ich, was in den Nachrichten kommt, muss noch lange nicht der Realität entsprechen. Welche Deutschen sind denn so? Ich erinnere mich an die Bilder vom Münchner Hauptbahnhof, als die Flüchtlinge von jubelnden Deutschen begrüßt werden. »Refugees welcome!« Aber auch das haben meine Familie und ich nie selber erlebt. Es waren nur Nachrichten. Also bitte, wie sind diese Deutschen denn jetzt wirklich?

Mit Anton, einem befreundeten Kameramann, gehe ich zum Berliner Alexanderplatz. Nach Haralds Videoaktion ist meine Lust auf Film wieder so richtig entfacht ... Ich will etwas Eigenes aufnehmen, mit meiner eigenen Stimme und Handschrift, jedoch nicht mehr über Syrien, sondern über Deutschland.

Ich habe ein Schild dabei, auf dem steht:

Ich bin syrischer Flüchtling. Ich vertraue dir. Vertraust du mir? Dann umarme mich.

Mit verbundenen Augen und ausgebreiteten Armen warte ich ... und warte ... und warte ... Aber jedenfalls haut mir niemand eine rein oder beschimpft mich. Als mir allmählich Arme und Beine weh tun, spüre ich, wie mich nun doch jemand umarmt. Erst später erfahre ich: Es war Anton. »So als kleine Anleitung für die Leute«, erklärte er lächelnd.

Der Erste, der sich mir danach nähert, macht jedoch erst mal ein Selfie mit mir. Aber dann geht es endlich richtig los, einer nach dem anderen kommt und gibt mir einen Drücker. Wahnsinn.

Eine einmalige Straßenaktion aus einem spontanen Bedürfnis heraus. Ich wollte einfach wissen, wie die Deutschen wirklich sind – und für den Berliner Alexanderplatz Ende 2014 kann ich sagen: Refugees are welcome! Zumindest fanden die Passanten, Anton und ich das Ganze sehr lustig. Wir haben viel gelacht. Noch habe ich zwar keine Idee, was ich mit den Aufnahmen anfangen soll, aber es fühlt sich total richtig an. Ich sollte mehr davon machen ...

Gestern habe ich übrigens etwas Neues über Chamäleons gelernt: Die passen sich gar nicht farblich der Umgebung an, sie ändern nur ihr Aussehen je nach Stimmung. Ärgern sie sich, werden sie schwarz. Wenn sie sich freuen, färbt sich ihre Haut bunt. Das finde ich sogar noch besser, schließlich wollte ich mich nie auf Biegen und Brechen anpassen. Weder in Syrien noch hier. Ich will kein Deutscher sein, kein Araber, kein Flüchtling. Ich will Firas sein. Und so langsam bekomme ich auch ein bisschen Farbe.

TRÄUME UND TRAUMA

Ich habe ein T-Shirt mit dem Aufdruck: FUCK ISIS. Das passt hervorragend zu meinem dicken Terroristenbart. Beides zusammen verwirrt die Leute bestimmt noch mehr als mein Lippenpiercing. Am U-Bahnhof Eberswalder werde ich von zwei jungen Kerlen zur Rede gestellt. »Was trägst du so ein T-Shirt? Bist du gegen Allah?«, fragt der eine. Und der andere betont: »Das hier ist unsere Stadt!« Keine Ahnung, welcher Nationalität die angehören, aber sie halten sich auf jeden Fall für die besseren Moslems. Mit T-Shirts hatte ich ja schon in Syrien meine Probleme. Mit besseren Moslems auch. Aber Deutschland ist ein freies Land. Darum gehe ich einfach weiter. Sie sind unbedeutend. Vielleicht sind sie gerade deshalb so drauf, wer weiß das schon. Auf Facebook bekomme ich ebenfalls gelegentlich Drohungen von Assad-Anhängern, manche von ihnen behaupten auch, in »ihrer Stadt« zu sein. Woher haben die das bloß alle? Lächerlich. Ich habe erlebt, wie eine Stadt tatsächlich übernommen wird. Nach Rakka beispielsweise kamen IS-Kämpfer aus dem Irak, brachten ein paar syrische Aktivisten der Revolution um und machten Rakka so nach und nach zu »ihrer« Stadt, während die Freie Syrische Armee mit dem Kampf gegen die Regierung beschäftigt war. Es gab niemanden mit Waffen, keine Polizei, kein Militär, und so pflückten die Terroristen die Stadt wie eine saftige Dattel von einem herrenlosen Baum. Die demokratisch gesinnten Studenten mussten aus Rakka fliehen, einige von ihnen leben heute in Berlin. Diese Milchbubis am S-Bahnhof haben davon keine Ahnung. Auch die angeblichen »Nazis« haben mich bisher in Ruhe gelassen. Ich bin auch gar nicht ihre Zielgruppe. Sie mögen zwar gegen »Islamisierung« sein, aber auf ihren Plakaten habe ich vor allem Anti-Merkel-Parolen gelesen. So hat also jeder seine Zielgruppe: Assad kämpft gegen die Rebellen, der IS gegen die Ungläubigen, und die Flüchtlingsgegner in Deutschland kämpfen gegen die Flüchtlingsbefürworter.

Eines Tages lädt Jan mich zu einem Besuch in das Stasi-Museum ein. Es könne nicht schaden, auch über diesen Teil deutscher Geschichte Bescheid zu wissen, meint er.

Der Osten des Landes ein Überwachungsstaat? Das ist gruselig. Nun erfahre ich, dass die Deutschen all das, was ich aus Syrien kenne, auch ziemlich gut konnten: abhören, einschüchtern, kontrollieren. Ein perfekter Kontrollapparat. Bei den hellhörigen Plattenbauwohnungen frage ich mich allerdings, wozu sie überhaupt Abhörgeräte brauchten ...

Dass die Menschen hier in Ostdeutschland (darf man eigentlich »Ossis« sagen? Na ja, wenn mich auch jeder »Flüchtling« nennt ...) permanent auf der Hut sein mussten, kann ich gut nachempfinden – und noch besser, dass sie irgendwann die Nase voll hatten und auf die Straße gegangen sind.

Die Ostdeutschen hatten dann sogar eine Revolution mit Demonstrationen und allem Drum und Dran. Die haben allerdings wirklich etwas erreicht mit ihrer Revolution, ganz anders als wir in Syrien. Aber ich ahne, warum: In der DDR gab es nur *einen* Geheimdienst und nicht 27.

Einige habe ich am eigenen Leib erlebt – und nachts träume ich immer noch davon. Manchmal sind es gute Träume, so ein bisschen wie im Film *Vendetta*: Statt »V« kommen meine Mutter und mein Vater lachend in meine Zelle und sagen: »Es war alles nur ein Test, Firas. In Wirklichkeit ist alles gut, und wir sind stinkereich. Marc Zuckerberg arbeitet bei uns als Gärtner.« Leider gibt es aber auch die anderen Träume, aus denen ich schweißgebadet aufwache. So geht es nicht nur mir, sondern sehr vielen Menschen, die nach Europa flüchten. Darum werde ich von meinen Erlebnissen in Syrien erzählen. Damit ihr es versteht. Leicht wird es allerdings nicht. Ihr dürft das nächste Kapitel also gerne erst mal überblättern. Das habe ich auch eine Zeitlang gemacht. In meinem Kopf. Doch ich hatte wieder unverschämtes Glück und bekam einen Platz beim Behandlungszentrum für Folteropfer in Berlin, das ist ein Verein, der durch Spenden finanziert wird. Zu Beginn der Therapie sollte ich nun Figuren und Stofftiere für die Abschnitte meines Lebens in einer Reihe aufstellen. Kamel, Stein und Chamäleon kennt ihr ja schon. Für die dunkle Zeit in meinem Leben gibt es einen Tänzer, denn in die Revolution bin ich getanzt wie auf Wolken. Aber daneben stelle ich noch einen Esel, weil ich für meinen Tanz eingesperrt und geschlagen wurde wie ein Tier.

IV
TÄNZER

DER TANZ AUF DEM VULKAN

Es ist wieder Frühling in Berlin, oder was man hier so Frühling nennt. Ich bin auf dem Weg zur großen Syrien-Demo am Brandenburger Tor. »Vier Jahre syrische Revolution«. Wir werden wieder die Fahne schwenken und Bilder hochhalten. Es ist wichtig, nicht zu vergessen. Nur eine halbe Stunde später singe ich bereits ins Megaphon, und alle singen mit – für einen Moment fühle ich mich nach Syrien zurückversetzt. Wir tanzen. Die Polizei taucht auf – aber nur, um uns zu schützen, schließlich haben sich die Rechtsextremen in Deutschland lautstark zurückgemeldet. Die Polizisten halten sich im Hintergrund, vermitteln ein Gefühl von Sicherheit. Wenn ich in Syrien die Polizei anrücken sah, blieb nur noch umdrehen und wegrennen. Noch heute erinnere ich mich an die Schüsse, die Schreie sterbender Freunde neben mir, an das Blut auf dem Asphalt. Hier ist alles wunderbar friedlich. Aber die Demos werden von Jahr zu Jahr kleiner und seltener.

Es gab eine Zeit, da kochte mein Blut, es war Rock'n'Roll pur. Wir sangen auf den Beerdigungszügen der Märtyrer in den engen Gassen von Damaskus. Beim Freitagsgebet in der Moschee saßen Muslime, Christen, Atheisten beisammen, um danach gemeinsam auf eine Demo zu gehen. In den Straßen war eine knisternde Spannung, und auf Facebook ging es zu wie sonst nur bei einer Geburt: Alle fiebern mit. Etwas Großartiges kann geschehen, womöglich noch heute. – Aber niemand weiß, wie es ausgehen wird. Gerüchte schwirren herum. Und es ist blutiger Ernst für alle Freiheitsliebenden.

Diese Zeit in Syrien habe ich mit einer tanzenden Figur charakterisiert, es war ein Tanz auf dem Vulkan. Diktator Ben Ali war in Tunesien gestürzt worden, und Gaddafi hatte die Kontrolle über die Aufstände in Libyen verloren. Auch er würde früher oder später fallen. Die Diktatoren der arabischen Welt kippten um wie Dominosteine. Würde Syrien folgen? Waren die Tage der vierzigjährigen Diktatur gezählt? Könnte es hier auch eine Revolution geben? Ja? Nein? Vielleicht?

Ich lief durch die Gassen meines Viertels, Gerüchte von ersten Demos machten die Runde. Ich war aufgeregt wie vor dem ersten Rendezvous. Waren die Gerüchte mehr als nur heiße Luft? Bisher war Syrien stets ein Land der Lügen gewesen. Als ich um eine Ecke bog, war die Straße plötzlich voller schwerbewaffneter Soldaten. Sofort duckte ich mich weg und setzte meinen Weg nun schlendernd fort. Türsteher in Kreuzberger Clubs sind ähnlich zu behandeln: Ganz harmlos und selbstverständlich tun, bloß keinen Augenkontakt, dann lassen sie dich durch.

Unbehelligt, aber ziemlich aufgekratzt, kehrte ich nach Hause zurück und schaute sofort bei Facebook nach, ob es eine Demo gegeben hatte. War jemand verhaftet worden? Noch nie hatte ich so viele Soldaten auf einem Fleck gesehen. Da musste doch etwas passiert sein. Aber was?

Wie jeder aus meinem Umfeld wartete ich auf den entscheidenden Funken.

Ich auf Facebook am 18. März 2011: *Was ist los in der arabischen Welt? Sind wir schon eine Casting-Show? Jede Woche wird ein neuer Machthaber nominiert und die Woche drauf rausgeworfen?*

19. März 2011: *BBC darf nichts mehr über Gaddafi zeigen. Eine Comedy-Show hat die Rechte an ihm gekauft.*

Jetzt erfuhr ich, dass es in Dara'a an der jordanischen Grenze erste Tote gegeben hatte – das Fernsehen berichtete von Kriminellen, die brave Soldaten angegriffen hätten. Auf Facebook stand das Gegenteil: *Die Regierung hat auf unbewaffnete Demonstranten schießen lassen.*

Ich postete: *Die Toten von Dara'a, sind das Märtyrer oder Terroristen? Soll ich sie jetzt segnen oder verfluchen? Sagt es mir, bitte!*

Reflexartig kam die Warnung einer Freundin: *Firas, sei lieber still!*, womit sie natürlich recht hatte. Aber es war der Arabische Frühling, und irgendwie war alle Angst verflogen. Nicht nur bei mir. Aus dem Gerücht wurde Gewissheit: Ja, die Revolution hatte begonnen! Die Demos wurden größer, häufiger, sichtbarer. Der Ton in den sozialen Netzwerken wurde mutiger. Überall war Aufbruch. Ein Riss in der Staumauer. Alle unterdrückten Wünsche brachen sich Bahn. Wie eine Naturgewalt, und ich mittendrin. Der Boden bebte unter meinen Füßen.

An meinem 20. Geburtstag machte die Regierung plötzlich einen Schritt zurück. Ohne Vorwarnung beendete sie offiziell den Ausnahmezustand, die legale Grundlage ihrer diktatorischen Macht. Vierzig Jahre lang hatte sie diesen Sonderstatus für ihre Willkürherrschaft genutzt. Im Ausnahmezustand mit Notstandsgesetzen könnte selbst die deutsche Kanzlerin auf das Grundgesetz pfeifen. Vierzig Jahre lang Ausnahme ... Was bitte schön ist dann die Regel? Auf einmal soll das alles vorbei sein? Es konnte nur eine Farce sein, ein symbolischer Akt, um die Gemüter zu beruhigen. Der Assad-Clan änderte natürlich nichts an seinem Regierungsstil. Aber uns dämmerte, dass die da oben es mit der Angst bekamen. Sie fürchteten sich vor dem eigenen Volk. Was für ein Geburtstagsgeschenk!

Dann begannen die Spaltungen. Ja, der Löwe* zitterte, aber nicht jeder jubelte darüber. Das war für mich noch überraschender als das Ende des Ausnahmezustandes: Wir Syrer waren gar nicht so einig, wir waren ein gespaltenes Volk und hatten es bislang völlig ignoriert.

Gott vergebe den Menschen in Dara'a – und Gott behüte Assad. Solche Kommentare tauchten nun auf Facebook auf. *Ja, es gibt Probleme, aber Assad macht Syrien groß!* Und so weiter. Es war erstaunlich, wie viele meiner Freunde auf Facebook das Wort für den Diktator ergriffen. Die Gehirnwäsche scheint erfolgreicher gewesen zu sein, als ich dachte, denn an mir waren die Lobpreisungen und Selbstbeweihräucherung des Regimes abgeperlt. Allerdings hatten wir es auch vermieden, im Alltag unsere echte Meinung kundzutun. Das wäre viel zu gefährlich gewesen. Und jetzt erlebte Syrien einen Schock: Selbst Freunde und Familienmitglieder fanden sich plötzlich in zwei gegnerischen Lagern wieder. »Bist du für oder gegen Assad?« Diese Frage war früher undenkbar, und jetzt sagten viele erstmals öffentlich, wo sie wirklich standen. Vorher gab es ja nur eine erlaubte Meinung. Erinnert ein bisschen an die deutsche Flüchtlingsdebatte, oder? »Bist du für oder gegen Flüchtlinge?« – »Ach, *du* bist ausländerfeindlich?« – »Was? *Du* bist ein Gutmensch?« Überraschung!

---

* »Assad« heißt auf Deutsch »Löwe«.

Eines aber einte uns: der Patriotismus. Syrien soll groß werden! Die Streitfrage war, ob nun mit oder ohne Assad. Man darf ja auch nicht vergessen, dass eine Menge Leute jahrelang von dem Regime profitiert hatten, immerhin standen die 27 Geheimdienste, die Armee, die Polizei und das gesamte Telekomnetz im Sold des Assad-Clans. Und die staatliche Korruption zog sich von ganz oben bis ganz nach unten – man konnte kein Geschäft in der Straße eröffnen, ohne dem Geheimdienst etwas dafür zu bezahlen. Und vierzig Jahre Propaganda hatten natürlich auch ihre Spuren hinterlassen. Stellt euch mal vor, in Deutschland hätte es 1934 oder auch 1988 schon Facebook gegeben? Was da wohl online abgegangen wäre …

Im Internetcafé rieten mir meine Freunde: »Mach bloß kein YouTube auf – da laufen so Programme, die kriegen mit, was du anschaust.« Von Woche zu Woche wurde das Internet in Syrien stärker überwacht. Irgendwann musste man sogar seinen Ausweis am Empfang des Internetcafés abgeben. Mann, hatten die Bammel vor uns. Aber sie hatten auch eine Menge Erfahrung damit, wie man sein Volk im Zaum hält. Syrien war nicht Libyen und erst recht nicht Tunesien. Also gut, dachte ich, wenn es online zu riskant ist, dann muss es anders gehen … Und als dann die erste echte Demo in meiner Nähe stattfand, wusste ich plötzlich, wo mein Platz sein würde: an Mikro- und Megaphon. Ich war so voller Spannung und gerade zwanzig geworden – ich wollte allen zurufen: »Die Freiheit kommt, sie ist fast schon da!« Also sang ich die Slogans für einen Beerdigungszug. Vor einer Woche war das Kind während einer Anti-Assad-Demonstration von syrischen Soldaten erschossen worden. Dazu müsst ihr wissen, dass Beerdigungen bei uns per se eine größere

Sache sind. Doch nun waren die Menschen traurig und wütend zugleich, singend und rufend zog die Menschenmenge durch die Straßen, dem Sarg mit dem kleinen toten Körper hinterher, begleitet von meinen Freiheitsparolen, die ich durchs Megaphon grölte. Es war eine gigantische Erfahrung, eine Droge, von der ich nicht genug bekommen konnte. Ich nahm an jeder Demo teil, von der ich erfuhr. Wir verabredeten uns kurz auf Facebook – und schon ging es los. Da kam kein Polizeikader hinterher, so schnell hatten wir uns organisiert. Und wenn sie dann aufmarschierten, waren wir längst wieder verschwunden. Aber die Menschen in und an den Straßen hatten uns gesehen, unsere Parolen gehört. Wir brachten den Menschen Hoffnung, rüttelten sie wach, das spürten wir. Darin lag so viel Energie, dass wir alle dachten, uns könne nichts mehr aufhalten.

Inzwischen hatte mir die Schauspielschule tatsächlich einen Termin für die Aufnahmeprüfung geschickt. Schon im September sollte ich meinem Traum einen großen Schritt näher kommen. Auf einmal öffneten sich mir alle Türen, alles schien jetzt möglich.

Dann kam der Ramadan im August 2011. Die Moscheen waren noch voller als sonst. Es brodelte, alle dachten, jetzt werde Assad gestürzt. Beinahe täglich fand irgendwo eine Demo statt, nicht nur in Damaskus, sondern in den meisten Städten Syriens. Es ging um Freiheit, es ging um das Ende des Regimes, und irgendwie fühlte es sich an, als wären wir Syrer doch noch eins geworden. Und so sang ich: »Eins. Eins. Eins. Das syrische Volk ist eins.« Es wurde sogar gemunkelt, Assad sei bereits tot ... In der Moschee saß heute alles, was Rang und Namen hatte, Gläubige und Ungläubige, Linke, Atheisten, Studenten, eine Freundin von mir und ich. Die Stimmung war spürbar aufgeheizt. Plötzlich schrie jemand: »Die Schabiha* kommen!«

Als loyale Schlägertrupps einzelner Mitglieder des Assad-Clans machen die Schabiha die Drecksarbeit für das Regime, tragen dabei allerdings Schlabberhosen und Turnschuhe, aufgemotzt mit einer Kalaschnikow. Du gehst über eine Straße, plötzlich hält ein weißer Bus, sie springen heraus, schnappen dich, schlagen dich halb tot und nehmen dich mit. Du hast großes Glück, wenn du jemals wiederkehrst.

Sofort ergriff ich die Hand der Freundin, und wir rannten los. Bloß weg von hier. Als mir in dem Chaos jemand auf den Fuß trat, verlor ich eine Sandale. Und dann war auch schon alles voller Männer mit Gewehren. Die hatten jedoch ein Problem: Wer war denn nun ein gefährlicher Aktivist, wer ein normaler Fußgänger? Mittlerweile hatte ich nicht nur meine Sandale verloren; auch die Freundin war im Gedränge verschwunden. Unschlüssig stand ich mit meiner Sandale in der Hand auf der Straße. Jetzt wegzurennen hätte die sofortige Verhaftung bedeutet. Auf einmal spürte ich, wie jemand meine Hand nahm. Eine ältere Frau zog mich zur Seite. »Komm mit zu mir!«, raunte sie mir zu. Im nächsten Moment hielt uns die Schabiha an, aber die Frau erzählte ihnen, wir würden hier wohnen, und nahm mich mit zu einer Haustür. Als die Söldner sahen, dass sie einen Schlüssel hatte, ließen sie uns in Ruhe. Vermutlich verdanke ich dieser Frau mein Leben, wofür sie das ihre in höchste Gefahr gebracht hatte. Tapfere syrische Frau!

Stunden später - in den Straßen war es viel ruhiger geworden - machte ich mich auf den Heimweg, wurde

---

* Schabh, arabisches Wort für Geist/Gespenst.

aber noch einmal von den Schabiha gestoppt. Einer von ihnen trug ein riesiges Messer. Und ich erkannte ihn: ein Kommilitone aus der Hotelschule. Zum Glück erkannte er mich ebenfalls wieder. »Alles gut, der studiert mit mir!«, beruhigte er seine Schlägerkollegen. Zum Abschied winkte er mir, bevor er erneut auf Menschenjagd ging. Wäre ich ihm auf einer Demo über den Weg gelaufen, hätte er mich bestimmt auch geschnappt. Ich war fassungslos. Wie konnte er nur bei den Schabiha-Milizen sein? Was hatte er schon Schreckliches mit diesem fürchterlichen Messer getan? Er war Christ, er hatte Geld ... Nein, Syriens Gesellschaft war überhaupt nicht eins. Sie war krank und zerfressen von der Säure, die das Regime Jahrzehnt für Jahrzehnt über uns versprüht hatte.

DIE WAHRHEIT ÜBER 9/11

Für mich ist es das Wunder von Damaskus, wie lange ich *nicht* festgenommen wurde. Als Aktivist war ich bekannt wie ein bunter Hund. Auch online. Monatelang war ich auf Demos unterwegs. Natürlich hatte meine Mutter Angst um mich. Und wie. Von meinem Vater gar nicht zu reden. Aber ich war nicht zu stoppen. Eine Demo nach der anderen, und ich immer mittendrin, das Gesicht unverhüllt, und auf Facebook kloppte ich unter eigenem Namen Sprüche gegen das Regime raus. Das waren endlich das wahre Leben, die reine Luft, die ersten warmen Sonnenstrahlen nach einer kalten Nacht. Für mich gab es keine Furcht mehr. Ich war wie frisch verliebt. Und wahrscheinlich wollte ich sogar, dass ich verhaftet werde. Ich wollte, dass meine Kinder einst stolz auf mich sein können, auf meinen Kampf für die gute Sache. Das ist natürlich komplett unlogisch: Welche Kinder denn, wenn du erst verhaftet wurdest?

Aber darüber habe ich nicht nachgedacht. Und die Geheimdienste waren derart ineffizient, die machten sich gar nicht die Mühe, Einzelne zu verfolgen, denn bisher hatte es ja immer gereicht, einfach willkürlich zuzuschlagen, um Angst und Schrecken zu verbreiten. Die Taktik eines Holzhammers. Noch immer war ich diesem groben Werkzeug entgangen.

Bis zu jenem Tag im September 2011.

9/11. Dieses Datum kennt wohl fast jeder. Aber bei uns in Syrien hat es eine andere Bedeutung und nichts mit den zwei New Yorker Türmen zu tun: Es ist der Geburtstag von Baschar al-Assad. Und es ist der Tag, an dem ich doch noch geschnappt wurde – diesmal als Feind des Regimes, nicht als T-Shirt-Verkäufer.

Ich erwarte gar nicht, dass ihr den Wahnsinn, der folgte, verstehen könnt. Wenn ich in Deutschland mit diesem mitleid- und verständnisvollen Blick angeschaut werde und ein Ich-verstehe-es-tut-mir-so-leid höre, bezweifle ich nicht, dass es ehrlich und nett gemeint ist. Aber niemand, der es nicht erlebt hat, der nicht selber Folternarben am Körper trägt, kann »es« verstehen. Weil Folter einfach nicht vorstellbar ist. Mir ging es bis zu meiner Verhaftung ja nicht anders, obwohl ich Syrer bin, obwohl mein Onkel nach nur wenigen Tagen Folter monatelang im Krankenhaus gelegen hatte, obwohl mir viele ehemalige Gefangene detailliert davon berichtet hatten. So ist es eben: Man kann es sich nicht vorstellen. Selbst für mich wird es langsam wieder zu so etwas wie einem bösen Traum ...

Folter gab und gibt es überall und zu jeder Zeit. Im

Stasigefängnis, im KZ, in Stare Kiejkuty (ja, googelt das mal!), Gitarama, im La Santé. Es gibt sie in Israel, Peru, Thailand, China und den USA. Folter ist keine Erfindung der Syrer, diese Barbarei ist so typisch menschlich, wie sie unmenschlich ist.

Einen Menschen quälen, um ein Geständnis zu erhalten? Völlig bescheuert. Glaub mir, nach zehn Minuten unterschreibst du alles, was deine Peiniger dir vorlegen, egal was. Folter führt nie zur Wahrheit. Aber sie schürt Angst und verleiht Macht. Beispiel Syrien: Hier herrscht ein kleiner Clan, der selber von einer Minderheit, den Alawiten, stammt. Wie schafft es diese Familie, die einmal errungene Macht zu behalten? Dafür existiert nur ein todsicheres Mittel: Todesangst. Und die ist ansteckend. Wenn die Menschen um dich herum Angst haben, ist es wie ein unsichtbares Gefängnis. Wir hatten alle Angst, sie wurde uns von den Eltern beigebracht, in der Schule war sie spürbar. Ein Staat, der dich jederzeit ungestraft foltern kann, ist wie ein Raubtier, das irgendwo lauert, aber du weißt nicht, wo. Wird es heute zuschlagen oder erst nächstes Jahr? Damit bist du ihm und der ständigen Angst ausgeliefert.

Kennt ihr zufällig das arabische Wort für Löwe? »Assad«. Wann immer also jemand anfängt, euch Angst zu machen, um irgendetwas zu erreichen, dann denkt an mich und hört noch mal ganz genau hin.

Aber ab und zu passiert es auch, da wenden sich die Rinder um, da erheben sie ihre Hörner gegen den Löwen. Und trampeln ihn nieder, wenn er allzu dreist wird. Eine verzweifelte Rinderherde kann extrem gefährlich werden - und jedes Raubtier weiß das. Die Demos im Sommer 2011 waren die Vorboten eines untergehenden

Assad-Clans. Also tat das Regime, was es schon vierzig Jahre lang getan hatte, diesmal nur noch brutaler und flächendeckender: draufschlagen, mit voller Wucht.

DER BLUTIGE BAUER

Ärztlicher Befund. Patient F. Alshater. Berlin, 15. 9. 2015:
Oberhalb der rechten Augenbraue befinden sich eine ca. 2 cm bzw. eine ca. 1 cm lange 2–3 mm breite strangförmige Narbe. Der Patient berichtet, er habe hier durch Stockschläge Platzwunden erlitten.

Es war schon spät in der Nacht. Dann ist das Risiko für die Demonstranten geringer. Wir waren auf der Beerdigung von Ahmad Bhagdadi, einem Jungen, der kurz zuvor bei einer Demo erschossen worden war. Auch sein Trauerzug war eine Demo. Der Kreislauf aus Blut und Wut, er wollte einfach nicht mehr aufhören. Kurz vor Mitternacht erschien die Polizei in einem Transporter, und wir flohen. Ich hatte mich abgesetzt und sprang in einen der Minibusse, die bei uns durch die Straßen kurven. Doch die Polizei hielt den Bus an und kontrollierte alle Fahrgäste.

»Du da, warum schwitzt du so?« Sie zogen mich heraus. »Du warst auf der Demonstration, du bist gerannt!« Es war ganz egal, was ich sagte, ich bekam sofort die ersten Schläge verpasst. Sie zerrten mich in ihren Transporter, in dem elf weitere Polizisten saßen, die nur darauf zu warten schienen, mich mit ihren Springerstiefeln zu malträtieren. Zur Abwechslung benutzten sie aber Stöcke, Gewehrkolben und Fäuste. Ein Stockschlag verfehlte knapp mein Auge, die Haut an der Stirn platzte auf, Blut spritzte überall hin. Dann waren sie plötzlich weg. Ich lag eingesperrt und blutend im Heck des Wagens. Sie hatten ein zweites Opfer entdeckt, dem sie nachjagten. Die Schmerzen waren so heftig, dass ich mich kaum bewegen konnte, und alles war glitschig von meinem Blut. Trotzdem musste ich es irgendwie schaffen, das Handy aus der Hosentasche zu ziehen. Dann löschte ich meinen Facebook-Account und versteckte Batterie und Speicherkarte im Futter meiner Ledertasche. Wenn sie meine Daten fänden, wäre ich sofort tot.

Ohne weitere Trophäe kamen die Polizisten zurück, weshalb ich während der Fahrt ihre volle Aufmerksamkeit hatte. Die Schläge prasselten auf mich ein wie ein Hagelsturm, es hörte überhaupt nicht mehr auf. Als der Wagen schließlich stoppte, wurde ich ausgeladen wie ein Stück Vieh, durch die Tür getrieben und dann direkt verhört.

»Ich bin Lehrer, ich unterrichte Ausländer in unserer Sprache, hier in der Gegend. Mein Kunde wohnt direkt dort, ein Amerikaner! Geht ihn doch fragen.« Ausländer haben normalerweise immer eine gewisse Wirkung in Syrien. Wenn es Ausländer aus dem Westen sind. »He, benimm dich, was sollen die Ausländer von uns denken?«, sagt man bei uns auch. Anders als in Deutschland geht es in Syrien darum, ein gutes Bild abzugeben. Sogar im Gefängnis werden Ausländer besser behandelt.

Die Polizisten machten keinerlei Anstalten, meinen Kunden zu kontaktieren, sondern reichten mich weiter an den Geheimdienst. Der übliche Weg halt. Unterwegs zogen sie mir das T-Shirt über den Kopf und schlugen wieder zu. »Na, wer hat dich jetzt gerade geschlagen? Rate doch mal!« Sie lachten. Dann prügelten sie weiter, mit Kalaschnikows und Stöcken. Ich aber dachte nur eines: Bitte nicht zum Luftwaffen-Geheimdienst, bitte nicht. Sein Ruf war der schlimmste. Wer beim Geheimdienst durch die Tür geht, der stirbt. Wer jedoch beim Luftwaffen-Geheimdienst landet, der wünscht sich zu sterben, aber sie lassen einen nicht.

Zum Glück war es dann wirklich »nur« der politische Geheimdienst, ein Gefängnis in Ruken Al Din, wo man mich in eine winzige Zelle steckte, in der allerdings schon 25 andere Männer hockten. Da ich meinen Mund nicht bewegen konnte, kriegte ich auch tagelang keinen Bissen herunter. Nicht dass es viel zu essen gegeben hätte. Ich blieb fast drei Wochen in diesem Loch. Immer wieder Schläge, immer wieder Demütigungen. In der Zelle stank es nach allem, was Menschen so von sich geben, auf meiner Haut sprossen Eiterpickel. Krätze? Von wegen – wenn es doch nur die Krätze gewesen wäre. Von Krätze bricht die Haut nicht auf. Eine Qual war Falakka. Dabei werden einem die Beine zusammengebunden, man liegt hilflos auf dem Rücken, und dann gibt es Stockschläge auf die Fußsohlen, bis die Füße aus Feuer sind. Die Schmerzen sind schier unerträglich – während der Schläge und danach. Jeder einzelne Schritt ist eine Folter für sich. Das genau ist das Ziel von Falakka. Und ich gestand, was immer sie von mir hören wollten.

Immer wieder musste ich an die Prüfung zum Schauspielstudium denken. Auch dieser Traum zerbrach mit jedem Stockschlag und Foltertag. Während ich hier hinter Mauern geprügelt wurde, wurden draußen die Prüfungen abgehalten. Eines Tages aber wurde ich ohne erkennbaren Grund vor ein Gericht gestellt, das bedeutet in den meisten Fällen die Freiheit. Der Geheimdienst hatte also über mich entschieden. In Syrien tun das nämlich nicht die Richter, sondern Geheimdienstbeamte, sie bestimmen, ob du schuldig bist oder nicht. Der Richter ist nur Fassade, genau wie das Parlament und die öffentlichen Wahlen, bei denen Assad 99 Prozent der Stimmen erhält. Ihn übertrifft nur noch der Diktator in Nordkorea, der bekommt mindestens 105 Prozent. So beliebt ist der.

Verdreckt, blutig und mit blauen Flecken am ganzen Körper humpelte ich aus dem Gerichtsgebäude. Es war der letzte Tag der Schauspielprüfungen. Und noch war die Prüfungszeit nicht vorbei, zwei Stunden blieben noch. »Wenn du rauskommst, ist es, wie neu geboren zu werden.« Ja. Genau. Ich konnte ungefähr so gut rennen wie ein Neugeborenes. Dennoch steuerte ich sofort die Universität an, noch bevor ich mich bei meinen Eltern meldete. Ohne auch nur etwas gegessen oder getrunken oder geduscht zu haben. Trotzdem kam ich zu spät. Die Prüfungskommission ging gerade zur Tür hinaus. Nur nicht aufgeben, dachte ich und sprach einen Professor an, dem ich vertraute. »Ich komme gerade aus dem Gefängnis. Bitte, ich brauche diese Chance!«

Der Professor nickte nur und folgte den anderen Prüfern. Es gelang ihm tatsächlich, die Kommission davon zu überzeugen, sich noch einen »besonderen Kandidaten« anzuschauen.

Der hatte indes ein großes Problem hinter der Bühne, eigentlich sogar zwei: ein demoliertes Äußeres und Funkstille im Hirn. Was soll ich bloß machen, was soll ich vorführen? Ich hatte ja nichts vorbereiten können. Ein Gedicht, eine auswendig gelernte Szene und eine Pantomime, so lauteten die drei Aufgaben. Also blieb mir nichts anderes übrig, als zu improvisieren. Verdreckt, mit verkrusteten Wunden und kaum in der Lage, gerade zu

Nach der Flucht aus Syriens Hölle werde ich zum Youtube-Star in Deutschland.

Ich kämpfe für die Freiheit in Syrien. Meine Waffen: Mikrofon, Lieder & Kamera.

Der Geheimdienst reagiert: Folter in den Verließen – und monatelang keine Sonne.

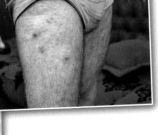

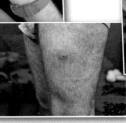

Fast noch schlimmer als die Folter: Die eigenen Mitstreiter vertrauen mir nicht mehr – ich werde auf einer Demo von Aktivisten verprügelt, die mich für einen Spitzel des Regimes halten.

Ich filme die letzte Szene für Tamer
Alawams Film, bevor ich Syrien verlasse.

Auf der Flucht sind wir den
Scharfschützen an der Brücke
entkommen. Mein letztes Foto
aus Syrien.

Das Wunder von Ankara: Ich habe ein Visum für Deutschland erhalten.

ALS SYRISCHER FLÜCHTLING IN DEUTSCHLAND

Was sich meine Mama vorstellt

Was sich mein Papa vorstellt

Was sich meine Freunde vorstellen

ALS SYRISCHER FLÜCHTLING IN DEUTSCHLAND

Tamer, Dein Film wird bald fertig sein.

Berlin, ick liebe Dir!

Ach so, ich soll
Deutsch lernen,
nicht Berlinerisch!

Erste Wohnung nach
hundert Besichtigungen –
das muss gefeiert werden.

Ich lasse niemanden ersaufen!
Auch nicht im Winter!

Neue Kamera,
neues Glück!

Meine Youtube-Fans schicken mir Zuckerstückchen!

Singen im Mauerpark.

Foto-Ausstellung mit
meinen Syrien-Bildern.

Yallah! Lasst uns feiern!

stehen, fiel mir meine Lieblingsszene aus einem Stück von George Schehadé ein: Der Bauer Barbie versucht, seine Frau zu einem Gaunerstück zu überreden. Sie soll einen Seitensprung gestehen, den es nie gegeben hat – ein Schäferstündchen mit dem reichen Gerald, der kürzlich verstorben ist. So kämen die Bauersleute an dessen Erbe.

Ich spielte den Bauern, ohne zu wissen, ob ich den Text richtig in Erinnerung hatte, und die Prüfer hielten mein ramponiertes Äußeres für eine geschickte Verkleidung. Das Blut für Schminke, die dreckigen Klamotten für Kostüm. Ich sah sicher sehr glaubwürdig aus.

Aber mein Kopf war bei meiner Mutter. Meine Familie wusste ja noch immer nicht, dass ich noch lebe. Und sobald ich Bauer Barbies letzten Satz gesagt hatte, lief ich, so schnell es mit meinen kaputten Knochen ging, zum Ausgang. Dort traf ich meinen Professor und fragte ihn, wie ich gewesen sei. Traurig schüttelte er den Kopf: »So schlecht, so schlecht.«

Daheim gab es viele Tränen, bevor ich endlich, endlich unter die Dusche steigen konnte. Yallah, im Paradies muss es Duschen geben. Wieder ein Mensch werden, mit einer Dusche fängt es an. Und dann schlafen. Im eigenen Bett ...

SCHLIMMER ALS SCHLÄGE

Als ich am nächsten Tag erwachte, war die Nachricht schon eingetroffen: Man lud mich zu dem Aufnahme-workshop an der Schauspieluni ein. Träumte ich etwa noch? Meine schauspielerischen Leistungen können ja nicht den Ausschlag gegeben haben. Vielleicht aber die hervorragende Maske und das authentische Kostüm. Oder der Professor hatte noch bessere Beziehungen, als ich dachte. Jedenfalls war wieder eine Tür aufgegangen. Fünf Frauen und fünf Männer von vierzig Bewerbern würden am Ende genommen werden. Nur die besten natürlich. Also gab ich alles. Meine Wunden heilten ziemlich schnell. Meine Energie kam zurück. Ich arbeitete und arbeitete und gab mir unendlich viel Mühe. Die Demos ließ ich links liegen – ich war ja nicht verrückt. Alle Kraft floss jetzt in diesen Aufnahmekurs. Und es hatte sich gelohnt: Ich erhielt einen Platz und war der glücklichste Mensch unter der syrischen Sonne.

Alle Mütter Syriens wollen, dass ihr kleiner Junge einmal Arzt wird. Aber meine Mutter freute sich trotzdem für mich.

Als ich mit dem Studium begann, wusste ich, dass ich eines Tages bestimmt wieder zu einer Demo gehen würde. Süße Droge Freiheit. Im Land brodelte es noch immer, und es gab immer mehr Tote. Wenn dein Bruder, dein Kind, dein Partner erschossen oder gefoltert wird, wenn ein Freund von dir sein Leben gibt, was, denkst du, wirst du tun? Natürlich gab es Angst, aber genauso gab es Wut und Empörung, und das ist ein gutes Gegenmittel gegen die Furcht. Ich hatte eine Menge Wut im Bauch. Hätte ich am Tag meiner Entlassung eine Kalaschnikow mit meinem kaputten Arm halten können, wer weiß, was ich getan hätte. Ich bin bestimmt kein gewalttätiger Typ, aber es gibt für jeden eine Grenze. Ich war so geladen. Inzwischen waren auch die ersten Bilder von gefolterten Kindern im Umlauf. Der Tod des 13-jährigen Hamza Al Katib hatte die Runde gemacht – er war zur Ikone geworden, sein Bild wurde auf Demos hochgehalten. Der Luftwaffen-Geheimdienst hatte dem Jungen das Glied abgeschnitten, ihn mit Elektroschocks zu Tode gefoltert und der Familie den verstümmelten Leichnam übergeben. Zur Abschreckung. Die unbändige Wut trieb immer mehr Menschen auf die Straße. Immer mehr Demos, immer mehr Verhaftungen, immer schlimmere Folter. Ein syrisches Wettrüsten.

In dieser Zeit wurde die Freie Syrische Armee gegründet, bestehend aus Deserteuren der regulären Armee, die zunächst nur die Demos mit Waffengewalt beschützen wollten. Diese Guerillagruppe wuchs sehr schnell, was den Demos weiteren Auftrieb gab. Und auch Zivilisten begannen, sich zu bewaffnen, nachdem die ersten Polizisten getötet worden waren. Der Löwe zitterte ...

Ich habe nie eine Waffe in die Hand genommen, ich hatte immer nur das Mikrophon, das Megaphon und meine Kamera als Waffen. Aber wäre ich Soldat gewesen, ich hätte bestimmt gekämpft. Wut genug war da.

Inzwischen sind diese Gefühle lange vorbei, doch damals konnte ich nicht anders, als wieder lautstark zu demonstrieren. Aus Wut, aus Trotz – und weil ich süchtig nach der Freiheit dort war. Ich wollte weiterhin Fotos machen und im Internet verbreiten, wollte mit meiner kleinen Kamera Videos drehen, auf Facebook gegen die TV-Propaganda vorgehen und ganz sicher nicht meine Klappe halten.

In den Monaten nach meiner ersten Haft lebte ich meistens bei meiner Oma in Alt-Damaskus, ein bei Touristen und Ausländern auf Dienstreise beliebtes Viertel. Dort gab es also viel Arbeit für mich als Sprachlehrer, denn ich musste ja neben dem Studium Geld verdienen. Als ich von einer Demo erfuhr – der Anlass war der Tod von Brahim, einem kleinen Jungen, der von Snipern des Regimes erschossen worden war –, kochte meine Wut wieder hoch, und ich machte mich auf den Weg. Diesmal verlief der Demozug durch Midan, und es sah aus, als wären wir Hunderttausende. Es war die größte Demo, die ich jemals miterlebt habe – und ich war bereit. Also ging ich nach vorne, um wieder das Megaphon zu übernehmen. Doch dazu kam ich gar nicht. Eine Frau erschien plötzlich vor mir, hielt mich zurück und brüllte: »Der ist vom Geheimdienst!« Ich war wie vor den Kopf gestoßen. »Wäre er so schnell wieder aus dem Gefängnis gekommen, wenn er nicht für Assad arbeiten würde?« Es war kompletter Unsinn. Aber sofort umringten mich Aktivisten und droschen auf mich ein. Es waren mindestens zwanzig Männer, die mich schlugen und traten. Ich konnte nichts tun. Wie den Polizisten, so war es auch den Aktivisten egal, was ich zu sagen hatte. Sie hörten nicht zu. Sie wollten bloß ihre angestaute Wut an mir entladen.

»Er ist vom Geheimdienst, schlagt ihn tot!«, hörte ich es keifen. Sie schnappten mein Handy, meine Kamera, es kamen immer mehr, und sie drängten mich in eine Ecke. Diese Schläge und Tritte jedoch verletzten mich seelisch viel mehr als körperlich. Das hier waren doch meine Genossen. Meine Freunde.

»Siehst du, wie sie sind, deine Freunde?«, fragte meine Mutter, als ich am Boden zerstört nach Hause kam. Sie fand es nur gerecht. Das Lebensmotto der Elterngeneration war schließlich: Stillhalten, dann passiert dir nichts. Ich aber war zwanzig. Stillhalten war keine Option, obwohl ich noch Wochen wie gelähmt war.

Es waren harte Wochen. Alle bekannten Aktivisten hatten diese Probleme. Verleumdungen, Anschuldigungen, Gerüchte. Das Geschenk der Familie Assad an das syrische Volk: Wir trauen niemandem und schon gar nicht einander. Misstrauen war eine Grundhaltung, und jetzt erwischte es mich. Ich verlor viele meiner Freunde, weil es hieß: Firas ist ein Verräter. Er hat sich freigekauft aus dem Knast und arbeitet für den Diktator!

Ich stellte die Bilder von meinem blauen Auge nach der Demo online. Sofort gab es Kommentare: »Du würdest das nicht posten, wenn du wirklich Angst haben müsstest vor der Regierung!« Einmal hatte ich mit Polizisten verhandelt, um eine festgenommene Frau wieder freizubekommen – jetzt hieß es: »Das ist der Beweis, er hat Kontakte zur Polizei und zum Geheimdienst, er kann sogar mit denen verhandeln.«

Es war absurd und schmerzvoll. Am meisten aber schmerzte mich das Erlebnis mit einer sehr guten Freundin, ihr Porträt hatte ich sogar als Bild auf meiner Facebook-Seite. Sie war gerade bei mir gewesen, um Medizin für die Freie Syrische Armee (FSA) zu holen – die Medikamentenschachteln waren bei mir heimlich zwischengelagert worden. Mit dem Taxi fuhr sie wieder zu ihrer Wohnung zurück, wo wenig später alle, die gerade vor Ort waren, vom Geheimdienst verhaftet wurden. Sie, ihre vier Geschwister und die Mutter. Erst zwei Monate später wurde sie wieder freigelassen. Sie beschuldigte mich anschließend, sie verraten zu haben, und ließ es in allen Online-Netzwerken verbreiten. Einfach so. Ohne Beweis. Später kam heraus, wer sie wirklich verpfiffen hatte: der Taxifahrer. Er war nämlich auch für die Verhaftung eines weiteren Freundes verantwortlich. Jemand hatte zufällig mitbekommen, wie er aus einem Eisladen heraus den Geheimdienst kontaktiert hatte. Die ehemalige Freundin hat den Kontakt zu mir dennoch nie wieder aufgenommen.

Dass ein Mensch nur aus Misstrauen alles vergisst, was man gemeinsam erlebt hat, tat irre weh. Bis heute hängt mir das an. Deshalb habe ich mir geschworen: Ohne Beweis glaube ich nichts. Ich habe es nicht selbst gesehen? Dann kann es stimmen oder auch nicht. Mein Onkel in Deutschland glaubt dem syrischen Staatsfernsehen. Viele Deutsche glauben den Bildern in den Medien. Ich glaube eine Menge, aber sicher nicht, was ich nur irgendwo gehört oder gelesen oder im Fernsehen gesehen habe – und schon gar nicht, was mir irgendwer über irgendwen erzählt. Zu oft habe ich am eigenen Leib erfahren, was Gerüchte auslösen können. Zuletzt hier in Deutschland. Anfangs hatte ich hier nur wenige engere Kontakte, eigentlich nur drei: Jan, Marie-Angela und jene Frau, deren Namen ich hier nicht nennen möchte. Mit ihr habe ich viel Zeit verbracht – sie war sehr lustig und unglaublich engagiert für Syrien. Nach über einem Jahr – wir kannten uns inzwischen richtig gut – erfuhr sie von den Gerüchten, ich würde in Wirklichkeit für Assad arbeiten, und brach von jetzt auf gleich jeden Kontakt ab; auch ihre Mutter löschte mich aus ihrem Facebook-Profil. Nur aufgrund von Gerüchten. Sie haben nicht einmal mit mir geredet. Männer weinen nicht? Oh doch, und ich schäme mich nicht dafür.

Die meisten Verletzungen der syrischen Folterknechte sind verheilt. Aber die schlimmsten Wunden verpassen dir deine Freunde.

HINGERICHTET

Die innere Lähmung ließ nach. Und irgendwann sagte ich mir: Mach nicht die anderen für deine eigenen Entscheidungen verantwortlich – und beschloss: Die Dummen sind mir wurst, nicht aber die Revolution und die Freiheit in Syrien!

Und so ging ich weiter zu Demos und schrieb auch weiter auf Facebook für die Revolution, sagte, was immer ich zu sagen hatte. Weder das Regime noch die Dummen sollten bestimmen, was ich tue. Das mache ich alleine. Außerdem hatte ich ja auch nicht alle Freunde verloren.

Ich begann, häufiger mit ausländischen Journalisten zu arbeiten. Auch das war wichtig für den Kampf gegen die Propaganda unserer Regierung. Ich hatte ja schon selber viel gefilmt, etwa friedliche Demonstranten, auf die geschossen wird. Und dann ließ der Staatssender Dunja-TV verkünden, die Aktivisten bekämen Drogen von »ausländischen Mächten«. Wie sonst sei zu erklären, dass sie lachen, während sie geschlagen werden. Später hieß es, das Wasser auf Demos sei mit Drogen durchsetzt, und die Drogen kämen unter anderem von Al Jazeera. Als Beweis zeigten sie einen Plastikbeutel mit Drogentabletten, auf dem mit billiger Druckertinte »Al Jazeera« stand. So ein platter Fake. Ich war mit der Kamera auf diesen Demos, wenn ich nicht selbst mitgegangen bin, und die einzige Droge, die ich dort je gefunden habe, war der Rausch der Freiheit. Doch ich unterstützte zunehmend kritische ausländische Reporter, auch Al Jazeera erhielt Material von mir. Dafür bekam ich keinen Cent – und auch keine Plastikbeutel mit weißen Pillen. Bedaure! Aber mit meinem guten Englisch, meiner Kamera und meinen Kontakten war ich für die Journalisten ein guter Partner – und ich hoffte, die Berichte und Aufnahmen würden die westliche Welt aufrütteln und sie dazu bringen, den Syrern zu helfen.

Ich geriet noch zwei Mal in Haft, im Frühjahr 2012 sogar in die Hände des Luftwaffen-Geheimdienstes. War ja klar! Dort war ich zwei Monate. Und es war tatsächlich noch schlimmer als beim ersten Geheimdienst, wenn auch erstaunlicherweise nicht der Gipfel. Schlimmer geht's immer, oder?

Zunächst wurde ich für drei Wochen in Einzelhaft gesteckt.

Seit Beginn der Revolution war mir klar gewesen, dass ich immer auf eine Verhaftung gefasst sein musste, weshalb ich nur noch Jogginghosen getragen hatte, um für die Kälte in den Zellen gewappnet zu sein. Nur bei meiner Verhaftung durch den Luftwaffen-Geheimdienst hatte ich wegen eines Geburtstags einen Anzug angehabt. Und nun fror ich – drei Etagen unter der Erde – erbärmlich. Meine Zähne hörten gar nicht mehr auf zu klappern, während eine Maschine kühle Luft in die dunkle Zelle pumpte. Das Essen wurde wortlos durch eine Klappe hereingereicht, in diesen Wochen sah ich niemanden, sprach mit niemandem. Nur wenn ich schlief, kam heimlich jemand in die Zelle, warf eine brennende Zigarette auf mich oder übergoss mich mit kaltem Wasser.

Was ich allerdings mitbekam, war die Folter vor der Tür. Die Schläge, das Schreien und Wimmern, immer wieder und wieder musste ich es mit anhören. Eines Tages wurde jemand ganz besonders stark geschlagen. Ich bückte mich, um unter dem Türspalt hindurchzublicken. Verschwommen sah ich einen Mann, der um sein Leben flehte. Hatte er Familie? Kinder? Immer wieder prasselten die Schläge auf ihn nieder. Schließlich verstummte er. Sein Peiniger hatte ihn mit einem Stock zu Tode geprügelt. »Werft diesen hier auf den Müll!«, sagte jemand, den ich nicht sehen konnte.

Doch mit der Zeit wurden die grausamen Geräusche sogar normal. Der Schrecken drang einfach nicht mehr zu mir durch. Kopf und Herz weigerten sich, noch mehr zu leiden. Ich hatte keine Kraft mehr dazu.

Nach den drei Wochen Einzelhaft brachte man mich in einen drei Quadratmeter kleinen Raum, in dem bereits elf Männer eingesperrt waren. Es war entsetzlich eng. Zu eng zum Schlafen, zu eng zum Hinsetzen, zu eng für alles. Wenig später holten sie einen von uns heraus und begannen, ihn vor der Tür zu foltern. Anfangs durften wir nur zuhören, ein andermal auch zusehen. Immer wieder kam ein anderer Mann an die Reihe. Und jedes Mal, wenn die Tür aufgeht, fragst du dich: »Bin jetzt ich dran?«

Manchmal gab es nur eine Handvoll Oliven zu essen. Für alle. Der »Älteste« verteilte sie, und nach einer Weile war ich es, der schon am längsten hier saß. Jeder bekam eine Olive, so dass am Schluss vielleicht zwei übrig blieben. Dadurch bekam der »alte Hase« etwas mehr, womit aber alle anderen einverstanden waren, denn je länger jemand in diesem Loch war, desto schwächer wurde er. Zwei Oliven statt einer. Das machte einen großen Unterschied. Vielleicht blieb man so einen Tag länger am Leben, hatte vielleicht genug Kraft, um die nächsten Elektroschocks zu überleben. Die Wassergüsse. Die glühenden Zigaretten auf nackter Haut. Das stundenlange Hängen an den Armen. Und Schlimmeres.

Ich überlebte – wurde schließlich wieder freigelassen. Einfach so eingebuchtet und gefoltert, einfach so wieder frei. Festnahmen waren reine Willkür. Man kam wieder raus oder eben nicht. Man starb oder eben nicht. Ganz egal, was jemand unter der Folter gestand. Kein Wärter würde je wissen, ob er es mit einem echten Aktivisten oder einem friedlichen Familienvater zu tun hatte. Folter ist kein Wahrheitsserum. Wie gesagt: Unter Folter gestehst du alles. Auch dass du vom Mars kommst, um Herrn Assad zu stürzen.

Ich war gerade mal eine Woche auf freiem Fuß und hatte mich bei meinen Eltern erholt, als ich zusammen mit Matthias, einem Schweizer Journalisten, erneut verhaftet wurde. Ich hatte ihm geholfen, eine Beerdigung in Kafarsouseh* zu filmen, wo wir beide geschnappt wurden. Matthias kam nach wenigen Stunden wieder frei, obwohl er Journalist war. Dass er ein westlicher Ausländer war, wog jedoch mehr. Später lernte ich im Gefängnis einen arabischen Al-Jazeera-Journalisten kennen. Er wurde nicht freigelassen, sondern auf den sogenannten Deutschen Stuhl gebunden. Die Rückenlehne wird so weit zurückgebogen, dass dem Gefangenen die Rückenwirbel brechen. Dieses sadistische Instrument sollen nach dem Zweiten Weltkrieg einige geflohene Nazis mit nach Syrien gebracht haben; es gibt aber auch Gerüchte, der

---

* Stadtteil von Damaskus.

Deutsche Stuhl stamme aus der DDR. Wir haben den Mann danach immer zur Toilette tragen müssen; sein Rücken war komplett zerbrochen.

Diesmal war der Raum, in den ich verfrachtet wurde, ganze zehn Quadratmeter groß, allerdings waren wir diesmal auch hundert Gefangene, von denen einige erstickten. So eine Zelle besteht aus Betonwänden, einer Betondecke und einem Betonboden mit Loch, in das alles fließt, was Menschen so von sich geben. Und es ist relativ ruhig. Wer zu laut ist, kriegt Schläge, wer das Falsche sagt, womöglich noch Schlimmeres, denn auch Gefängniswände haben Ohren. Und du weißt ja nie, ob der andere nicht doch vom Geheimdienst oder ein Soldat Assads ist. Das kommt immer wieder vor. Dennoch gibt es Bekannt- und sogar Freundschaften. Man muss einfach mit jemandem reden. Um nicht verrückt zu werden. Die endlose Langeweile und die permanente Anspannung sind fast schlimmer als die Folter selber. Also macht man Witze, erzählt dumme Geschichten. Dabei kann man sich wohl kaum verraten.

Ständig wurden Häftlinge gebracht oder mitgenommen, man weiß nie, wo man ist und mit wem man eingekerkert wird oder warum. Einmal war ich in einer Zelle mit nur vier oder fünf anderen, alle schon länger in Haft, so wie ich – und genauso sahen wir auch aus. Eines Tages ging die Zellentür auf, und ein etwa fünfzehnjähriger Junge wurde hereingeschoben. Seinem sauberen Äußeren nach zu urteilen, war es sein erster Tag in einem Gefängnis.

»Wie bist du denn hier gelandet?«, fragte ich ihn.

»Ich war auf einer Demo!«

»Was für eine Demo denn?«

Stolz streckte er die Brust vor: »Eine Demo für die Revolution!«

Ich, ganz erstaunt: »Wirklich? Was denn für eine Revolution?«

»Na, gegen Präsident Baschar al-Assad!«

»Aber was ist denn mit Präsident Hafez?«

Verstört sah der Junge mich an: »Der ist doch schon über zehn Jahre tot ...«

Alle Männer in der Zelle brachen in Schreckensrufe aus.

»ALLAH Y ALLAH, so lange sind wir schon hier? Was haben wir bloß alles verpasst?«

Der Junge fing an, uns vom Irakkrieg und von Saddam Hussein zu erzählen, von der Revolution in Tunesien und Libyen. Er hielt uns für alte Männer, obwohl ich höchstens fünf Jahre älter war als er. Als der arme Kerl schon völlig durcheinander war, klopfte ich ihm auf die Schulter: »Ja, mach dich besser auf eine lange Zeit gefasst ...«

Nun begann er zu weinen und hämmerte an die Tür. »Lasst mich raus, lasst mich raus!«

Wenn es darum ging, Unfug zu machen, war ich schon immer gut gewesen, und das Schauspielstudium – natürlich war ich mittlerweile wegen der Fehlzeiten von der Uni geflogen – hatte sein Übriges getan. Dass ich den Jungen kurz darauf über den makabren Witz aufgeklärt habe, ist ja klar. Und zum Glück hatte er Humor, so dass wir alle zusammen gelacht haben. Ich weiß nicht, ob er noch lebt. Aber zumindest haben wir damals ordentlich gelacht und uns daran erinnert, dass wir Menschen sind ...

Mit Hilfe meiner Schauspielerfähigkeiten täuschte ich schließlich beim Gang zur Toilette sehr glaubhaft einen

Ohnmachtsanfall vor. Leider hatte ich nur einen Zuschauer, den Gefängnisaufseher. Man holte einen Arzt, dem ich von meiner Leukämie erzählte. Und nachdem ich meine bravouröse Ohmachtsszene noch ein paarmal vorgespielt hatte, glaubte die Gefängnisleitung schließlich, dass ich todkrank war – und ließ mich gehen. Nach einem Monat. Einfach so. Wenn ihr also vorhabt, Schauspiel zu studieren, eure Eltern aber dagegen sind, dann erzählt ihnen diese Geschichte. Gut zu schauspielern kann dir vielleicht mal das Leben retten.

DER ERSTE ABSCHIED

Nur wenige Wochen später kam ein Offizier der Freien Syrischen Armee zu meinem Vater, um ihn vor mir zu warnen. »Dein Sohn ist ein Verräter«, behauptete der Offizier. Das muss man sich auf der Zunge zergehen lassen: Jemand warnt einen Vater vor dem eigenen Sohn, weil dieser angeblich für eine Diktatur arbeitet, die ihn gerade erst hat foltern lassen. Es gebe Hinweise, so der Offizier.

Und mein Vater glaubte ihm.

Noch in derselben Nacht zog ich endgültig aus.

Mein erstes Ziel war die Wohnung eines Freundes, der Chemie studierte. Und was sollte ich jetzt tun? Wie sollte es weitergehen? Mit dem Schauspielstudium war es vorbei, die Revolution wurde immer blutiger, meine Mitstreiter misstrauten mir ... Ich beschloss, meine Ersparnisse für eine richtig gute DSLR-Kamera auszugeben, um Filmaufnahmen machen zu können, die von den TV-Stationen nicht nur genommen, sondern auch bezahlt werden. Aus Syrien zu berichten war auf jeden Fall etwas Sinnvolles. Mit Freunden zusammen gründete ich eine Aktivistengruppe namens »The Syrian Lens« – wir alle waren Fotografen, dokumentierten die furchtbaren Aktionen des Regimes und verbreiteten unsere Bilder und Berichte online. Dass ich dadurch auf der Abschussliste der Geheimdienste noch weiter nach oben rücken würde, wusste ich nur zu gut.

Acht Tage später – ich übernachtete in der Wohnung meines Chemie studierenden Freundes, der ein paar Tage verreist war – klingelte es gegen Mitternacht an der Tür. Kaum hatte ich, noch völlig verschlafen, geöffnet, polterten zwei Schabiha herein. »Stell dich an die Wand, Hände nach oben.« Sie kontrollierten meinen Ausweis, dann entdeckten sie Unterlagen meines Freundes auf dem Tisch: Alles war voller chemischer Formeln. »Du baust hier also Bomben!«

»Nein, das sind bloß Chemieübungen für die Uni.«

Aber es war ja eh egal, was ich von mir gab. Der eine telefonierte, übermittelte meine Daten und bekam die Anweisung: »Der ist von der Freien Syrischen Armee! Nehmt ihn mit.«

Was hätte wohl der Offizier der Freien Syrischen Armee, der mich bei meinem Vater angeschwärzt hatte, dazu gesagt?

Meine teure DSLR-Kamera nahmen sie natürlich sofort an sich. Und so war ich das wertvolle Gerät nach nur einer Woche schon wieder los.

Wenig später waren zehn weitere Söldner in der kleinen Wohnung. Sie zogen mir eine Plastiktüte über den Kopf und nahmen mich mit. Jetzt ging es tatsächlich auf den Gipfel des Schreckens.

Ärztlicher Befund Patient F. Alshater vom 15.9.2015,
Berlin:

*Innerhalb dieses großflächigen Hautareals ist unmittelbar
am Außenknöchel ein kleineres, hyperpigmentiertes, annähernd
ovales, erhabenes, ca. 2,5 × 1,5 cm großes Narbenareal mit teil-
weiser Aufhebung der rhombischen Feldhautstruktur zu erkennen. Der Patient gibt an, hier sei die Haut während seiner
4. Inhaftierung gezielt mit einem Schweißgerät oder heißem Plas-
tik (bei verbundenen Augen habe er nicht genau sehen können,
womit genau) verbrannt worden.*

Die Schabiha schleiften mich mit gefesselten Händen
durch die Straßen, bis wir zu einem Rohbau kamen,
wo ich drei Tage lang ohne Essen, ohne Trinken, ohne
Toilette festgehalten wurde. Zu ihrer Belustigung machten die Männer Videos und Fotos von mir. Ich musste
ihnen nachsprechen: »Assad ist Gott. Meine Mutter ist
eine Hure!« Ein beliebtes Schabiha-Spiel. So muss sich
eine Maus fühlen, wenn die Katze sie zu Tode quält.
Nur geht es bei dem Katz-und-Maus-Spiel schneller. Die
Schabiha wollten Namen von FSA-Mitgliedern. Ich gab
ihnen welche. Es waren die Namen von Gefangenen oder
Gefallenen. Gibst du keine Namen, bringen sie dich um.
Da schon so viele gestorben waren, hatte ich noch eine
Zeitlang genug zu erzählen. Für jeden Namen bekamen
die Typen bestimmt Geld vom Geheimdienst. Außerdem
musste ich ihnen sagen, wer die Personen auf den Bildern aus meiner Kamera waren. Eine von ihnen war eine
Studentin, die der Religionsgemeinschaft der Drusen
angehörte. Daraufhin verprügelten die Söldner mich
noch härter als zuvor. Diese Schabiha waren offenbar
ebenfalls Drusen, die es nicht verkraften konnten, dass
eine der Ihren sich mit einem sunnitischen Aktivisten

eingelassen hatte. Bis dahin hatte ich keine Ahnung gehabt, dass auch eine Minderheit wie die Drusen Waffen erhalten hatte und als Schabiha unterwegs war.

Der Chef der Gruppe ordnete an: »Zur Autobahn mit dem hier. Bring ihn da um, und lass ihn wie einen Hund liegen!« Auf dem Weg verhöhnte mich der Fahrer: »Bring mich zu deiner Mutter und deiner Schwester. Ich will sie ficken – oder 10 Millionen. Dann lass ich dich laufen.« Ich antwortete nichts mehr und wartete auf meine Hinrichtung. Ich hoffte nur noch, dass meine Mutter es irgendwie erfahren würde, wenn ich gestorben war. Damit sie nicht mehr auf mich wartet.

Der Mann ließ mich aussteigen. Die verbundenen Augen erlaubten mir nicht, etwas zu sehen, aber ich konnte die vorbeirasenden Autos hören.

»Knie dich hin!«

Als ich auf dem Boden war, kam er ganz nah.

»Say goodbye« – dann ein Schuss. Kurz dachte ich: Jetzt bin ich tot!

Stattdessen aber drang ein fieses Kichern an mein Ohr. Der Schabiha lachte mich aus. »So schnell lassen wir dich nicht sterben! Hast du das etwa gedacht?«

Er brachte mich in das Militärgefängnis Abteilung 40, innere Sicherheit. Ich war halbtot vor Hunger und Durst. Ein Soldat wies mich an: »Mach den Flur sauber, dann bekommst du Essen!«

Ich konnte mich kaum mehr bewegen. Aber ich schrubbte und schrubbte. Den ganzen Flur, es dauerte Stunden. Am Ende bekam ich tatsächlich einen Joghurt und ein Stück Brot. Das war die leckerste Mahlzeit meines Lebens. Echter Joghurt. Noch heute esse ich am allerliebsten alles, wo Joghurt drin ist.

In der Nacht wurde meine Zelle aufgerissen, sechs Soldaten stürmten herein und schlugen mich windelweich. »Das ist für Saher!« – Wer war Saher? Einfach ein Soldat, den die Freie Syrische Armee erschossen hatte. Für die Rache seiner Kameraden musste ich jetzt als Prügelknabe herhalten. Na, seit kurzem galt ich, der nicht mal Militärdienst geleistet hatte, ja auch als FSAler, und natürlich musste ich erneut alle möglichen Dinge gestehen und unterschreiben. Es ist geradezu sarkastisch, dass all diese belastenden Dokumente niemals gegen mich eingesetzt wurden. Die erzwungenen Geständnisse dienten nur der weiteren Demütigung und der politischen Propaganda: »Seht her, wir haben Beweise, dass wir gegen Terroristen kämpfen, gegen Verbrecher. Wir haben tausend Geständnisse!«

Schmerzen verlängern jeden Augenblick bis ins Unendliche. Bei dieser Haft waren die Foltermethoden grausamer als alles, was ich bis dahin erlebt hatte. Ich kann und will darüber nicht schreiben. Doch die Geschichte dieser Wochen steht für immer auf meinem Körper.

KRANKENHAUS DES TODES

Wo brachten sie mich jetzt hin? Ich nahm alles nur noch verschwommen wahr. Am Eingang weigerte der Soldat sich, mich in Empfang zu nehmen: »Der stirbt ja gleich, nehmt den bloß wieder mit!«

»Nur für eine Nacht!«, baten die Soldaten.

Also kam ich für diese Nacht in irgendeinen dunklen Raum in irgendein Gebäude. Als ich auf dem eiskalten Boden aufwachte, lag ein Mann neben mir.

»Wo bin ich?«

»In Al-Hatib!«

Aha, noch ein Geheimdienst.

Als ich meinen Leidensgenossen später noch einmal etwas fragen wollte, kam keine Antwort mehr. Er war gestorben. Ich hatte nicht einmal seinen Namen erfahren. Noch am selben Tag wurde ich wieder weggebracht.

Diesmal ging es ins Militärhospital. Klingt hoffnungsvoll, war aber alles andere als das. Keiner meiner Gefängnisaufenthalte kam an diese Krankenhauszeit heran.

Jemand nahm meine Daten auf.

»Du bist jetzt Nr. 36. Vergiss deinen Namen!«

Mit drei anderen Männern wurde ich in ein einziges Bett gesteckt und gefesselt. Wir lagen übereinander. Ärzte kamen vorbei, dann eine Krankenschwester. Sie drückte eine Zigarette auf meiner nackten Haut aus. Eine folternde Krankenschwester. Das vergisst du nie wieder. Jeden Tag bekamen wir die Zigaretten zu spüren – es wurde viel geraucht im Krankenhaus. Das Verhältnis war 1 Kopfschmerztablette auf 200 Zigarettenverbrennungen. Diese Leute waren medizinisch geschult. Sie schlugen mich nicht nur, sondern zielten genau auf die Narben, damit es noch mehr weh tat. Einmal wurde jemand gebracht, dessen Körper völlig vereitert war und der Blut kotzte. Er war mit einem FSAler verwechselt worden. Als sie ihren Irrtum bemerkten, gaben sie ihm Essen. Es war zu spät, er starb. O, sorry, ein Versehen. Was soll man mit einem solchen »Sorry« anfangen? Soll man sagen: »Ach, schon gut, kein Problem, war ja nicht so schlimm«?

Ein anderer Mann hatte Herzprobleme. Die Medikamente dafür hatte er bei sich; die Pillen standen neben den Soldaten, die uns bewachten. Der kranke Mann bat und bettelte: »Gebt mir die Medizin, bitte.« Die Soldaten aber rauchten nur weiter eine Zigarette nach der anderen. Mein Bettgenosse wurde immer leiser, dann war er still. Er war gestorben. Wir beiden anderen lagen die ganze Nacht mit ihm zusammen gefesselt im Bett, bis sie seinen kalten Körper am Morgen mitnahmen.

Es kam der Ramadan – der Fastenmonat für Muslime –, und sie zwangen uns zu essen, bei Tageslicht, was gläubigen Moslems in dieser Zeit untersagt ist. Mir war es egal, ich bin nicht so religiös. Und in dieser Situation musst du einfach essen. Schlimmer waren die Toten auf den Toiletten. Sie wurden dort gestapelt, weil der Kühlraum schon vor toten Soldaten überquoll. Das ganze Krankenhaus war ein einziger Horrorfilm. Aber immer, wenn ich dachte: Nur noch schlafen, bloß nichts mehr mitkriegen, gab es wieder einen ohrenbetäubenden Knall. Auf dem Dach des Hospitals war eine Geschützstellung der Armee. Mit einer schweren Kanone. Die Freie Syrische Armee antwortete mit Granaten – und einmal trafen sie das Hospital. Der Lärm war unbeschreiblich, die Wände wackelten. Aber das Gebäude hielt irgendwie stand.

Neun Tage war ich in dieser Hölle. Danach folgten Stationen in verschiedenen Gefängnissen. In einigen sah ich bis zu tausend Insassen dicht an dicht, in anderen hörten wir, wie Frauen in der Nachbarzelle der Reihe nach vergewaltigt wurden, immer wieder, tagelang. Ihre Hilfeschreie und die eigene Hilflosigkeit haben manche von uns Häftlingen geistig zertrümmert. Einige starben sogar an diesen Wunden im Kopf, die nicht bluten.

Erneut musste ich Geständnisse unterschreiben, wonach ich FSAler war, Menschen gekidnappt hatte und was weiß ich noch so alles. Es war mir so egal, ich wollte nur endlich sterben. Doch plötzlich war ich frei.

Meine Eltern müssen gespürt haben, dass ich diesmal nicht überleben würde, und haben das einzig Mögliche getan, um mich aus dem Gefängnis zu holen: Sie haben Geld bezahlt. Und bestimmt nicht wenig. Schlecht bezahlte syrische Staatsdiener holen sich nun mal ihr Geld von denen, über die sie Macht haben. So einfach ist das. Lösegelder sind ein einträgliches Geschäft. Also zahlten meine Eltern, oder war es nur einer von ihnen? Ich habe lieber nicht gefragt.

Aber ich war frei!

Wie üblich wurde ich wieder zum Richter geschickt. Die Hölle davor war ja nur die inoffizielle Untersuchungshaft gewesen. Der Richter schickte mich nach Hause. Da ich jedoch überhaupt kein Geld hatte, borgte ich mir im Gerichtssaal ein paar Pfund von einem Mithäftling, um ein Taxi zu bezahlen. Der Arme wurde jedoch nicht freigelassen, sondern in die reguläre Haft geschickt.

Auf der Straße versuchte ich, ein Taxi zu bekommen, um mich zu meinen Eltern fahren zu lassen. Aber kein Fahrer wollte mich mitnehmen. Ich blickte an mir herunter. Ja, ich war abgerissen und stank bestimmt, doch Geld stinkt bekanntlich nicht. Trotzdem wurde ich von allen abgewiesen. Erst als ich als Adresse den Busbahnhof nannte, bekam ich mein Taxi. Am Busbahnhof stieg ich in einen Minibus, der mich in einer halben Stunde hinaus in die Randbezirke von Damaskus brachte. In das Viertel meiner Eltern. Aber die Gegend hatte sich verändert. Je näher ich unserem Zuhause kam, umso schlimmer sah es draußen aus. Der Krieg hatte zugeschlagen. Auf den Straßen lagen Tote. Die Häuser waren übersät mit Granatenein-schlägen, die Straßen leergefegt. Die Freie Syrische Armee hatte hier gekämpft. Jetzt verstand ich, warum die Taxifahrer sich geweigert hatten, mich zu befördern. Nur die Minibusse fuhren tapfer weiter. Ich glaube, die werden noch fahren, wenn die Apokalypse längst vorbei ist.

Ich fand das Haus meiner Eltern unversehrt und klingelte. Keine Reaktion. Ich klingelte lange. Nichts. Schließlich gab ich auf und ging in den nächsten Minimarkt. Noch so eine unverwüstliche Einrichtung in unserem Land. Wenn einst alles zugrunde gegangen ist, wird es nur noch Minimärkte und Minibusse geben.

Da ich keinen Piaster mehr übrig hatte, lieh mir der Shopbesitzer sein Handy, damit ich meine Mutter anrufen konnte. Sie nahm ab.

»Mama, warum öffnest du nicht?«

Vorsichtig fragte sie nach: »Wer bist du denn?«

»Na, Firas!«

Meine Mutter stieß einen Schrei aus und begann zu weinen.

»Mama? Halloooo. Mama, ich verstehe ja, dass ihr niemandem mehr aufmacht – aber kannst du gleich bitte die Tür aufmachen? Hallo?«

Selbst als ich wieder am Haus war, dauerte es noch einmal eine ganze Weile, bis sie in der Lage war, zur Tür zu gehen.

Als ich dann endlich im Wohnzimmer stand, umringten mich meine Geschwister und schlossen mich in die Arme. Mein kleiner Bruder schluchzte: »Geh nie wieder zu einer Demo! Geh nie wieder weg!«

Auch mein Vater begrüßte mich, so warm er es vermochte. Ich hatte meine Familie wieder.

Nach einer ausgiebigen Dusche stellte ich mich auf die Waage. Dreißig Kilo hatte ich verloren.

Aber ich hatte nicht nur Gewicht verloren. Nach dieser Haft war nichts mehr wie vorher. Insgesamt war ich neun Monate im Gefängnis gewesen, jedes Mal unter Folter. Viele meiner Freunde waren verschwunden, manche schon tot, andere verhaftet oder verschollen. Ein Facebook-Account nach dem anderen war verwaist. Ein Friedhof im Internet. Eine dieser Social-Media-Leichen war der Filmemacher Tamer Alawam, der für eine deutsche Kinoproduktion in Aleppo gewesen war, als ihn ein Granatsplitter erwischte. Damals wusste ich natürlich noch nicht, welche Rolle sein Tod einmal für mich spielen sollte. Ich wusste nur eines: Noch eine Haft überlebst du nicht.

V

DAS TIER MIT DEM DRITTEN AUGE

SANTA CLAUS

Immer wieder werde ich von Journalisten gefragt: »Wenn du so lange im Foltergefängnis warst, wieso kannst du dann immer noch lachen?« Und ich antworte jedes Mal: »Warum soll ich rückwärts blicken?« Aber wenn ich ganz ehrlich bin: Es passiert einfach. Wenn du reingehst, stirbst du, und wenn du rauskommst ... Vielleicht bin ich dem Tod so oft begegnet, habe so viel Leid, so viel Vernichtung gesehen, dass jetzt jeder Moment wie ein großes Glück erscheint. Mich hat es auch viel älter gemacht, als es das Geburtsdatum in meinem Pass vermuten lässt. Ich merke das vor allem, wenn ich mit gleichaltrigen Deutschen zusammen bin. Sie haben Angst vor der kleinsten Mücke, sorgen sich um irgendwelche Zusatzstoffe im Essen, und wann immer im Fernsehen irgendwer einen schrägen politischen Witz reißt, diskutieren sie den ganzen Abend nur darüber – als gäbe es nichts Wichtigeres auf der Welt.

Dass ich mich schon fühle, wie man sich vielleicht mit 35 fühlt, bedeutet aber nicht, dass ich nicht mehr träumen kann wie ein Kind.

Es ist Dezember 2015 – und zum ersten Mal seit meiner Ankunft schneit es an Weihnachten in Berlin wie sonst nur in der Coca-Cola-Werbung mit Santa Claus. Dicke Flocken, alles ist weiß, und es kommt mir vor, als wäre alles in Watte gepackt. Gedämpft dringt das Kreischen der Berliner Tram und S-Bahn durch die winterliche Stille, das Bodenzittern der U-Bahn, die Flugzeuge im Landeanflug auf Tegel, das Autogehupe und das Geschimpfe der Fahrradfahrer, die man wohl nur mit einem Atomkrieg vom Drahtesel herunterbekäme. Alles wie in Watte. So wundersam ruhig. Ich laufe lieber zu Fuß und staune – so viel Schnee gab es in den beiden vergangenen Berliner Wintern nicht – und in Syrien sowieso nicht. Den Weihnachtsmann aber schon. In der Weihnachtszeit kam er in unseren Kindergarten, brachte uns Geschenke mit. Im Koran habe ich von ihm zwar nichts gelesen, doch wer fragt bei Geschenken und Süßigkeiten groß nach, ob das jetzt ein muslimischer, christlicher oder amerikanischer Brauch ist. Ich bestimmt nicht. Und wie alle Kinder habe ich natürlich ganz schnell spitzgekriegt, dass die Geschenke eigentlich von meinen Eltern stammten. Unser Weihnachtsmann heißt allerdings Baba Noel*. Nach dem Ersten Weltkrieg hatten die Franzosen sich in Syrien breitgemacht. Dabei hatte man den Arabern einen eigenen Staat versprochen, wenn sie für die Briten und gegen die Achsenmächte kämpften. Die Achsenmächte, das waren Deutschland & Co. Also kämpften meine Vorfahren – und das sogar ziemlich erfolgreich. An Weihnachten läuft im deutschen Fernsehen immer dieser Lawrence-von-Arabien-Film, das ist die Geschichte vom Kampf meiner Vorfahren an der Seite der Briten, nur dass die Briten das Land dann an die Franzosen gaben und nicht wie versprochen an die Araber. Ja, so es mit den historischen Spuren; eine davon kann man übrigens noch heute auf der Landkarte bewundern: eine linealgerade Grenze zwischen Syrien und dem Irak, über die sich die Propagandavideos des IS dauernd aufregen. Und so hat in unserer Kultur eben auch Baba Noel seinen Platz gekriegt. Vielleicht haben

---

* Vom französischen »Noël« für Weihnachten.

die Araber einfach ein bisschen zu sehr an den Weihnachtsmann geglaubt.

Aber ich kenne nicht nur den Weihnachtsmann ... Kurz vor dem Jahreswechsel entdecke ich an einem Laternenpfahl auf dem Alex einen Aushang auf Deutsch, Arabisch, Persisch und Englisch. Neugierig stapfe ich durch den nicht mehr ganz so weißen Tiefschnee, und tatsächlich ist der Zettel für Flüchtlinge wie mich gedacht. In gutgemeinten Worten werden wir über Silvester aufgeklärt:

Habt keine Angst, wenn es an Silvester etwas knallt. Das ist hier normal. Erklärt es auch Euren Kindern, die Knaller sind nur ein Teil der Festtradition hier in Deutschland. Es besteht keine Gefahr ... und so weiter.

Das ist ja nun wirklich nett. Aber ganz ehrlich: Haben die Verfasser dieses Infoplakats jemals mit einem Araber gesprochen? Denn Silvester kennen wir Syrer auch. Ebenso wie die Kinder aus Aleppo, Rakka, Homs und Deir-Ezzor Silvesterknaller kennen, zusätzlich haben sie allerdings auch so viele echte heranrasende Bomber kennengelernt, dass sie sogar deren Typ unterscheiden können: »Ah, das war ein F16-Bomber von den Amis. Und jetzt eine russische SU-34. Und das hier war gar keine Bombe, da hat Präsident Assad gepupst.« – Ja, die Syrer kennen den Unterschied durchaus, sie hören sehr gut, was gefährlich ist. Und Silvesterlärm gehört sicher nicht dazu. Wenn ein Hubschrauber anfliegt, zucke ich zusammen. Wenn ein Böller losgeht, aber nicht, zumindest nicht mehr als jeder Deutsche auch, solange der nicht komplett schwerhörig ist. Im Internet jedoch habe ich Berichte und Befürchtungen von deutscher Seite noch und nöcher darüber gelesen, was der Silvesterkrach mit den traumatisierten Kriegsflüchtlingen anstellen könnte. Da kam ein Fachmann nach dem anderen zu Wort. Es war, als sollten alle Böllerfanatiker dieses Jahr dazu verknackt werden, nicht zu knallen, um die Flüchtlinge ja nicht zu erschrecken. Und die andere deutsche Seite? Sie antwortete mit wilder Hetze gegen die Überfremdung und Islamisierung, die nun schon das harmlose Silvesterfest der Deutschen zunichtemache.

Und was sagen die Flüchtlinge selber dazu? Nichts. Sie kommen nämlich gar nicht zu Wort. Andernfalls hätte er oder sie ganz sicher erklären können, dass es gerade wirklich dringendere Probleme gibt als krachende Böller: Wohnung, Arbeit, die Asylentscheidung, die unerträgliche Warterei vor dem LAGeSo, die Entwürdigungen ...

Warum bloß, frage ich mich schon seit Monaten, berichten die Medien in diesem Land permanent über Flüchtlinge, nachdem sie die Griechenlandhetze hinter sich gebracht haben? Ich bin nämlich der Meinung, jeder sollte für sich und seine eigene Sache sprechen. Ob nun Gegner der Silvesterknaller, Gegner der Flüchtlingspolitik, Gegner des Assad-Regimes oder Gegner des Rassismus in Deutschland. Sie alle können sich problemlos Gehör verschaffen. Aber was ist mit den Flüchtlingen? Wie sollen sie über das sprechen, was sie bewegt, wenn sie in einem überfüllten Heim ohne Internetanschluss stecken? Ich als geflohener Mensch habe auf jeden Fall auch etwas zu sagen, und das stimmt nicht immer überein mit dem, was mir als Flüchtling Nummer XYZ in den Mund gelegt wird. Vielleicht sollte ich mich lauter zu Wort melden? Wie das geht, weiß ich ja – und hier haben sie keine Foltergefängnisse, sondern Meinungsfreiheit. Die Voraussetzungen sind also deutlich besser als in Syrien.

Dort war meine Zeit nach der vierten Haft abgelaufen. Ich musste möglichst schnell fliehen. Deshalb reiste ich erst mal nach Beirut, das liegt etwa zwei Stunden von Damaskus entfernt direkt am Mittelmeer. Und von dort gelangte ich wenige Wochen später nach Istanbul, wo ich zunächst auf der Straße lebte. Ich erwarb eine kleine Kamera und versuchte, für Nachrichtenagenturen als Freelancer in den freien Norden Syriens zu pendeln, um dort Videoberichte zu drehen.

Und tatsächlich bekam ich Aufträge von Reuters, AFP, Anatol Agence und anderen. Fast immer waren es westliche Medien. Sehr einträglich war mein neuer Job allerdings nicht, so dass ich irgendwann - wie Millionen andere syrische Flüchtlinge auch - völlig mittellos in der Türkei feststeckte. Ich hatte noch einhundert Lira in der Hand und konnte mich nun entscheiden: warme Jacke oder warmes Essen?

Nach wie vor hoffte ich auf eine Festanstellung, tat, was ich konnte, um aus dem Loch herauszukommen, bis ich schließlich Chef des Medienzentrums bei einer kleinen syrischen Charity-Organisation wurde, für die ich schon ein paar Videoberichte aus Syrien produziert hatte. »Baladi Charity« arbeitete von der Türkei aus, und wenn ich »Medienzentrum« sage, so meine ich damit ein paar Laptops und einige kleine Touristenkameras. Aber das reichte, denn noch immer war es für ausländische Journalisten schwer, nach Syrien zu gelangen, und wir produzierten immerhin authentische Bilder und gaben den Menschen vor Ort eine Stimme. Das war es, was ich bei meiner Arbeit schon immer als besonders wichtig empfunden habe: Mit der Kamera hatte ich ein drittes Auge dabei - ein Auge, das der ganzen

Welt gehört und das zeigt, was andere vor ihr verbergen wollen.

Wieder und wieder ging ich in den Norden Syriens, der inzwischen vom Regime befreit war, und drehte ohne Gefahr zu laufen, verhaftet zu werden. Allerdings konnte man jederzeit von einer Bombe oder Granate getroffen werden, denn das syrische Regime hatte eine Luftwaffe und die Rebellengruppen nicht.

In dieser Zeit veränderte sich mein Bild der westlichen Medien. 2011 hatte ich dabei geholfen, den ersten Dokumentarfilm auf Englisch über die syrische Revolution zu produzieren, gemeinsam mit einem Reporter von Al-Jazeera. Wir drehten alles mit dem iPhone. Wie so viele meiner syrischen Aktivistenfreunde dachte ich: Wenn wir nur genug von all den Lügen des Regimes aufdecken, wenn wir nur die Wahrheit zeigen – den Horror des Krieges, die Menschenrechtsverletzungen, die demokratischen Absichten der Rebellen und Aktivisten –, dann würde das den freien und demokratischen Westen überzeugen. Und wie Superman kämen sie angeflogen und würden den Diktator aus Syrien hinwegfegen. So wie in Libyen – nicht, dass dort jetzt Friede, Freude, Eierkuchen herrschte, aber dennoch. Und im Irakkrieg war Saddams Armee von den Amis & Co. wie Wüstensand von der Schwelle gefegt worden.

So floss das Blut der geschundenen syrischen Bevölkerung nun ein zweites Mal, durch die TV-Sender, durch die sozialen Netzwerke und auf YouTube, für die gute Sache, die Aufklärung der Weltöffentlichkeit: »Schaut her, wir bluten, sie vergasen unsere Kinder, sie schießen auf Unbewaffnete, sie foltern alle und jeden.« Ich selber filmte mit der Kamera in den belagerten Städten, ich war in Rakka, in Deir ez-Zor. Die Welt sollte sehen, wie Fassbomben auf Krankenhäuser und Bäckereien geworfen wurden. Wie es aussieht, wenn eine Schule während des Unterrichts zerfetzt wird. Ich zeigte ein Regime, das sein eigenes Volk bombardiert.

Ich hätte so gerne an den Weihnachtsmann geglaubt. Aber er kam nicht. Und auch sonst niemand. Das ganze Blut meiner Landsleute auf Videos und Fotos sorgte nur für gute Umsatzzahlen bei den Zeitungen und Fernsehsendern, die sich gerne aus der Flut der Bilder bedienten, und das fast immer, ohne dafür zu bezahlen.

»Sie machen das doch für die Sache, für den Freiheitskampf, oder? Senden Sie uns einfach Ihre Bilder.«

»Ja, ich bin Aktivist, aber ich habe auch Hunger!«

Selbst die härtesten und riskantesten Bilder nutzten sich nach und nach ab. Bald schon fragten mich die Korrespondenten: »Bombe? Okay, ist jemand aus dem Westen dabei gestorben? Nein? Nun ... dann haben wir kein Interesse.«

Im Netz gibt es bis heute über 50 000 Bilder und Beweise all der Schandtaten der syrischen Regierung und ihrer Verbündeten. Es gibt Tausende von belastenden Dokumenten. Zeugenaussagen. Es ist alles da. Man kann per Suchfunktion die Datenbanken der Ermordeten durchgehen. Aber eine Anklage Assads wegen Kriegsverbrechen vor dem Internationalen Gerichtshof gibt es nicht. Warum? Weil Russland und China das blockieren. Sie verfolgen lieber ihre eigenen nationalen Interessen. Und so trifft die russische Luftwaffe keine IS-Stellungen, dafür aber immer wieder Krankenhäuser und Bäckereien. Assad wird's freuen ...

Weder Superman noch Weihnachtsmann erschienen auf der Bildfläche. Das ganze Land stank wie ein Kadaver und zog schließlich die Schmeißfliegen an. Allen voran den sogenannten Islamischen Staat. Woher kamen die denn plötzlich? Man stelle sich das so vor: Das Raubtier Assad hat einen lahmen Fuß, und jetzt rotten sich die Kojoten zusammen, um sein Territorium anzuknabbern: Die Taliban, Al-Nusra, al-Qaida und wie sie alle heißen, die schon lange auf ihre Chance gelauert haben. Die Stärksten unter ihnen gaben sich den klangvollsten Namen, der in der muslimischen Welt denkbar ist: »Islamischer Staat«, ein Begriff, den die westlichen Medien dummerweise übernommen haben, denn diese Terrorbande hat mit dem Islam genauso wenig zu tun wie der Weihnachtsmann. Ihr Anspruch lässt nur zwei Wege zu: sich unterwerfen oder gegen sie kämpfen. Wir Araber nennen sie deshalb Daesh, was »Zwietracht säen« bedeutet.* Daesh ist eine zusammengewürfelte brutale

---

* Daesh/Da'ish/Daesch. Das von Politikern und vor allem in der arabischen und israelischen Presse häufig für den IS verwendete Wort Daesh kommt vom Akronym von »Al-daula al-Islamija fi-l-Iraq wa-l-Scham«, DAIISH oder Da'ish. Das Akronym wird abwertend verwendet, es erinnert an andere arabische Begriffe, die etwa für »Zwietracht säen« oder »zertreten« stehen. Seit 2014 verwendet Frankreichs Präsident François Hollande eine französische Form von Da'ish, Daech, um den Anspruch des IS, ein Staat und Kalifat zu sein, zurückzuweisen und die Terrororganisation herabzusetzen. Andere westliche Politiker sind ihm gefolgt, wobei das Wort im Englischen zu Daesh wurde. In Deutschland wird häufig Scham statt Sham verwendet, weshalb die Abkürzung Daesch geschrieben wird. (Quelle: SZ online, Warum der Name »Daesch« den Islamischen Staat ärgert, 23.11.2015, http://www.sueddeutsche.de/politik/terrororganisation-warum-der-name-daesch-den-islamischen-staat-aergert-1.2745175)

Milizentruppe von Warlord Abu Bakr al-Baghdadi, bei der auch viele ehemalige Sozialhilfeempfänger aus Europa doch noch eine Zukunft gefunden haben. Daesh war eben am schnellsten auf der Bildfläche erschienen, als das syrische Regime die Kontrolle verlor. Mit ihrer Kriegsbeute und den eroberten Ölfeldern im Osten Syriens stiegen sie in kurzer Zeit zur reichsten Terrororganisation der Welt auf. Ein Terror-Start-up mit bester Geschäftsstrategie. Hinzu kamen zahllose Splittergruppen, die mal eben die Seiten wechselten, wenn's gerade passte. Und aus dem Libanon reihte sich die traditionsreiche Hisbollah in den tödlichen Reigen ein, um für das Assad-Regime Überfälle in den freien Teilen Syriens zu verüben. Und so zoffen sie sich jetzt alle um die Ölquellen und Industriezentren in Syrien und im Nordirak. Es geht um Hunderte Millionen von Dollar. Ein einziges Gemetzel. Und Russland hat da auch noch ein kleines Juwel zu verteidigen: seine Militärbasis in Latakia, der Heimatregion des Assad-Clans. Hier hat Russland seinen einzigen Militärhafen am Mittelmeer. Die Russen sind schon für weniger ausgerückt.

Und ich war mit meiner Kamera mittendrin, half Journalisten aus der Schweiz, Dänemark und Frankreich bei ihren Videoreportagen. Immerhin verfügte ich über Kontakte zur Freien Syrischen Armee, die einen gewissen Schutz bot und ebenfalls großes Interesse daran hatte, Bilder von der Situation ins Ausland zu übertragen. Diese Bilder verloren jedoch an Kraft, weil niemand den Kampf der FSA unterstützte. Die Kommandanten der Rebellen glaubten aber beharrlich, dass die westlichen Staaten irgendwann ein Erbarmen haben und womöglich eine Flugverbotszone erzwingen würden. Die freien Länder, die Demokratien, mussten doch ihre demokratisch gesinnten Brüder in Syrien unterstützen, oder? Konnten all die Schreckensbilder einen kaltlassen? Hatten wir nicht restlos alles vor ihren Augen ausgebreitet?

Dann erreichten die Flüchtlingsströme aus Syrien die Tore Europas, und sofort richteten sich die Augen der westlichen Welt wieder nach innen.

DIE SCHLANGE

Es ist frühmorgens und eiskalt vor dem Landesgesundheitsamt in Berlin, dem LAGeSo. Menschen stehen in langen Schlangen, die meisten schon die ganze Nacht, manche sogar schon seit vielen Nächten. Im weihnachtlichen Schnee. Syrische Familien, Iraker, Afghanen, Albaner, viele mit ihren Kindern, und ich gehe immer wieder vorbei, um irgendwie zu helfen. Schon bei meinem Asylverfahren vor zwei Jahren war das Nummernsystem in diesem Amt ein einziger Graus. Und daran hat sich seitdem nichts geändert, obwohl jetzt die zehnfache Menge an Menschen hier herumsteht, viele von ihnen für nichts – aber sie können ja auch schlecht weggehen. Eine Mutter mit Herzproblemen wartet in der Schlange – sie braucht dringend Medikamente. Aber das Gesetz sieht vor, dass es keine Medikamentenausgabe ohne Genehmigungsschein vom LAGeSo gibt. Also anstehen. Einen Zettel ziehen. Dann drei Wochen warten. Und die Beurteilung, ob der/die überhaupt so etwas braucht, fällt ein Beamter ohne die geringste medizinische Ausbildung.

Manche spielen dieses Anstehen-Zettel-ziehen-warten-Spiel seit Monaten. Aber nur, wer seinen Platz in der Schlange verteidigen kann, hat eine Chance. Sicherheitsleute schreien herum. Dazwischen bemühen sich ehrenamtliche Helfer um etwas Linderung. Auch Hilfsorganisationen sind vor Ort und kümmern sich um die Anliegen der frierenden Menschen, es gibt Kaffee, Tee, manchmal auch einfach ein paar nette Worte. Die Sprache ist eine riesige Barriere, und die herzkranke Frau spricht nur Arabisch, was leider kaum einer der Helfer verstehen kann. Also wartet sie tapfer weiter im Chaos der Kompetenzen und Nichtzuständigkeiten. Es gibt Leute, die waren schon fünfmal hier, jedes Mal mit Termin, der dann aber nicht stattgefunden hat – und jedes Mal haben sie dafür fast den ganzen Tag angestanden. Ja, na klar gibt es ein Recht auf Asyl in Deutschland, vorausgesetzt, man bekommt auch einen Termin. »Ach, Sie sind über Ungarn eingereist? Tja, dann sind wir leider nicht zuständig, das ist ein sicheres Drittland!«

Wozu hat ein Land, das von sogenannten sicheren »Drittländern« umgeben ist, überhaupt ein Asylrecht? Für Vögel? Man muss schon vom Himmel fallen, um hier überhaupt legal anzukommen.

Vor allem jetzt im Winter überlasse ich meine Wohnung immer wieder Flüchtlingsfamilien, die in der LAGe-So-Schlange warten, ich selbst schlafe dann bei einem Freund. Die deutschen Helfer haben meine Handynummer, weil sie oft am besten wissen, bei wem die Not besonders groß ist. Dann zeige ich meinen Gästen kurz die Wohnung – und lasse sie ansonsten in Frieden. Denn das brauchen sie jetzt am meisten: Frieden. Ruhe. Und dauernd dankbar sein zu müssen ist extrem anstrengend und nicht gut für das Selbstwertgefühl. Davon könnte ich ein Lied singen, aber ich lasse es lieber, sonst steht der Herr Nachbar gleich wieder auf der Matte.

Sehr oft aber nehmen Familien das Wohnungsangebot gar nicht wahr – zu groß ist die Angst, am nächsten Morgen zu spät in die Schlange zurückzukehren und womöglich den entscheidenden Termin zu verpassen. Der dann nicht stattfindet.

Wo bleibt da die deutsche Effizienz? Mir ist es unbegreiflich. – Zumal die Medien tagein, tagaus von den chaotischen Zuständen berichten und sich alle darüber aufregen. Monatelang. Doch nur die ehrenamtlichen Helfer werden dadurch mobilisiert. Sie engagieren sich aufopferungsvoll, gehen bis an ihre eigenen Grenzen ... Ich kenne dieses Zittern der Hände aus Syrien, als die Helfer dort irgendwann keine weiteren verstümmelten Leichen aus dem Schutt graben konnten, weil sie bereits zu viele gesehen hatten.

Ich bin hier nicht wahlberechtigt, ich bin kein Deutscher. Es ist nicht meine Verantwortung. Aber ich habe das LAGeSo jahrelang selber erlebt, ich weiß, wovon ich spreche. Warum klopft den Verantwortlichen niemand auf die Finger? Warum erledigen hilfsbereite Deutsche stattdessen die Arbeit, für deren Erledigung sie dem staatlichen System bereits brav Steuern gezahlt haben?

In Deir ez-Zor, das liegt im Nordosten Syriens, waren die Schlangen für Babymilch und Brot im Winter 2012/2013 sogar noch länger. Die »Baladi Charity« lieferte Hilfsgüter dorthin, denn die Stadt war belagert von Daesh und Regimetruppen. Die Islamisten hatten schon einen Teil der Stadt unter ihre Kontrolle gebracht und führten nun ihre Form der Scharia ein, eine weitere Spielart der Diktatur. Die Regimetruppen wiederum hielten den Flughafen – und so schoss irgendwie jeder auf jeden. Deir ez-Zor ist aber kein Dorf, sondern eine großflächige Stadt mit 300 000 Einwohnern. Niemand kann das lückenlos kontrollieren. Immer konnte man irgendwie hinein oder hinaus – und wenn man Glück hatte, wurde man dabei nicht erschossen. An den Ausfahrtsstraßen standen mal die Daesh, mal die Scharfschützen der Regierung. Einige Stadtteile wurden von den Rebellen gehalten, so dass ich mich dort frei bewegen konnte.

Eine so unübersichtliche Situation ist nicht grade förderlich für den Handel, weshalb die Versorgungswege von den Kriegsparteien ganz bewusst gekappt wurden und die Menschen zum Hungern verdammt waren. Jetzt noch ein paar Angriffe auf Bäckereien und Krankenhäuser. Und die Menschen sitzen wie geplant in der Falle. Hunger öffnet schließlich jede Tür – irgendwann: Zu Assad, zu Daesh oder verhungern? Viele der Daesh-Soldaten tragen im Herzen keinerlei dschihadistisches Feuer, aber im Magen eine warme Mahlzeit. So einfach kann es manchmal sein.

Das erklärt auch, warum Hilfslieferungen als feindlicher Akt galten und wir alle Transporte heimlich machen mussten. Nachts, ohne Licht und bei Vollgas über die Brücke in die Stadt rasen, im Kofferraum Mehl, Brei, Medizin. Die Menschen standen dann zu jeder Nachtzeit bei den Hilfsgüterausgaben – ohne Nummernsystem – an; immerhin flog das Regime keine Luftangriffe, solange es dunkel war. Besonders dringend brauchten Mütter mit Säuglingen Hilfe, denn aufgrund des ständigen Hungerns hatten sie keine Muttermilch mehr. Ohne die Babymilch-Lieferungen drohten deshalb viele Kinder zu sterben.

In dieser Zeit habe ich gelernt, Katzen und Ratten zu

fürchten. Die waren gefährlich geworden. Einige Katzen griffen bereits Kleinkinder an, und ihre roten Augen hatten einen wilden Blick, wenn sie um die Autos mit Lebensmitteln strichen. Sie waren immer kurz davor, uns zu beißen. Einmal besuchte ich eine Mutter in ihrer Küche, während nebenan ihr Baby schrie und schrie. Die Mutter wunderte sich, dass ihr kleines Mädchen gar nicht mehr still werden wollte, blieb aber aus Höflichkeit sitzen. Als sie schließlich doch nachsehen ging, hatte eine Ratte dem Kind das halbe Gesicht weggefressen. So war das Leben in Deir ez-Zor, und ich filmte sehr viel in diesen Nächten.

Das Problem war nur, die Videos aus Syrien herauszuschaffen. Der sicherste Weg war das Internet, über Satellit. Auf dem Landweg konnte man ja immer gestoppt werden, und dann war es gut, kein verräterisches Material auf dem Handy oder auf Speicherkarten zu haben. Also bat ich meinen Freund Samer, mich zum nächsten Internetcafé zu fahren. Dazu mussten wir allerdings eine von Regime-Snipern kontrollierte Brücke über den Fluss passieren. Am anderen Ufer hatte die Freie Syrische Armee die Kontrolle, und dort wollten wir hin. Wir beschlossen, es erst nachts zu versuchen – im Mondlicht und mit durchgetretenem Gaspedal. Wir wussten genau, was auf dem Spiel stand: Wir konnten gegen irgendein Hindernis prallen oder erschossen werden. Und in dieser Nacht hatten wir Pech, denn plötzlich tauchte mitten auf der Brücke ein streunender Hund vor dem Auto auf. Und statt ihn zu überfahren, trat Samer reflexartig auf die Bremse. Die Bremslichter leuchteten auf. Sofort eröffnete ein Sniper das Feuer auf uns, und Samer wurde getroffen. Der Wagen hielt, ich sprang heraus und robbte etwas zur Seite. Als die Schüsse endlich aufhörten, schlich

ich vorsichtig zum Wagen zurück. Samer war schwer verletzt, aber er lebte noch. Ich hängte mir die Kameratasche um, zog Samer aus dem Auto und kroch mit ihm auf die rettende Seite. Mein Freund war halbtot, als wir endlich drüben ankamen. Ein Wagen der FSA brachte ihn zwar sofort ins Krankenhaus, aber Samer schaffte es nicht. Er starb am nächsten Morgen.

Jedes Mal, wenn ich heute Bilder von dieser Brücke in den Medien sehe, kommen die Schuldgefühle hoch. Natürlich starben damals permanent Leute, jeden Tag. Aber der Gedanke, dass Samer in dieser Nacht meinetwegen über diese verfluchte Brücke fuhr, und die damit verbundenen Schuldgefühle verfolgen mich bis heute. Am Ende sind immer meine Freunde tot, und ich bin noch da.

Wofür?

ANGST REGIERT

Kurz nachdem das Jahr 2015 begonnen hat, werden in einer Pariser Zeitschriftenredaktion ein paar Witzemacher umgebracht, angeblich haben sie den Propheten Mohammed beleidigt. Ich trauere, zumal ich mich auch ein bisschen als Kollege fühle. Witze und Satire machen, das ist einfach so befreiend, ich könnte stundenlang Witze über Assad erzählen, dessen Gefangener ich war.

Die Diskussionen in Deutschland über die terroristische Gefahr hören nicht mehr auf. Es ist eine merkwürdige Zeit. Diese Panikmache, die Vermarktung der Angst kenne ich aus meiner Heimat zur Genüge: Assad hat so regiert, Daesh hat es professionalisiert, und al-Qaida gewinnt ihre Neuzugänge noch immer aus dem zweifelhaften Ruhm, den sie mit dem 11. September ergattern konnte. Ja, es ist den Arabern wichtig, was die »West-Ausländer« denken, und darauf setzen die islamistischen Werbeprofis: »Wir piksen die Ausländer, und sie fürchten uns. Wir sind wer, wir sind bedeutend – und wenn du dich uns anschließt, bist du auch kein Niemand mehr. Selbst der amerikanische Präsident wird dich dann kennen!«

Zwar ist es in Deutschland etwa zwanzigmal wahrscheinlicher, durch einen Wespenstich zu sterben als durch einen Terroranschlag. Trotzdem werden die säbelschwingenden Wüstenfanatiker sehr viel mehr gefürchtet, was zweifelsohne an der schlechten PR der Wespen liegt. Sie stellen keine Enthauptungsvideos ins Internet – marketingtechnisch hervorragend inszeniert mit einem westlichen Journalisten in kleidsamem Orange, wie die arabische Welt es bisher nur aus den demütigenden Guantánamo-Videos kannte. Bei uns werden Gefangene normalerweise nicht noch extra eingekleidet, das wäre viel zu teuer.

Ich muss die ängstlichen Geister in Deutschland übrigens enttäuschen: Sooo wichtig seid ihr gar nicht. Für Daesh & al-Qaida seid ihr nur ein Marketinggag, eine PR-Aktion, mehr nicht. Sie wollen ganz sicher nicht Europa zum Islam hinbomben – die sind doch nicht lebensmüde. Die wollen mit den Bildern nur ein paar spektakuläre »Erfolge« für die heimatlichen Werbekampagnen erzeugen. Nur eine Woche nach dem Anschlag auf die *Charlie-Hebdo*-Redaktion übernimmt al-Qaida im Jemen die Verantwortung. Natürlich flankiert von einer öffentlichkeitswirksamen Botschaft. Sie erklären sogar, dass sie die ganze Aktion finanziert haben. So reden doch keine Gotteskrieger, so reden Sponsoren. Glaubt jemand ernsthaft, der sogenannte Islamische Staat oder al-Qaida wollten wirklich das Reich Gottes vorantreiben? Daesh treiben das Reich von Abu Bakr, oder wie immer ihr nächster Kriegsfürst heißen mag, voran. Und die Religion ebenso wie die Medien sind dabei ihre Helfershelfer. Wer ist denn das Fußvolk dieser Kriegsfürsten, wer sind diejenigen, die in Paris zur Tat geschritten sind? Fast alle sind algerische Nobodys mit französischem Pass, die meisten von ihnen in den Pariser Elendsvierteln aufgewachsen. Wart ihr jemals in einem der Vororte von Paris? Habt ihr gesehen, wie die Algerier, Marokkaner und Tunesier dort leben? Da waren die Aussätzigen im Mittelalter besser integriert. Diese Migrantenkinder sind alle Nobodys, die sogar auf einen Kreuzzug mitkämen, falls ich einen starten würde. Dafür bin ich allerdings nicht religiös und auch nicht machtbesessen genug. Ich würde mit meinem Leben gerne was Besseres anfangen.

Nur was könnte das sein? Jahrelang habe ich mein drittes Auge auf Dinge gerichtet, die meine Heimat betreffen. Und jetzt wird Deutschland langsam zu meiner neuen Heimat. Darum steht mein Entschluss fest: Ich will beruflich etwas mit Film machen. Und da die Deutschen nun mal Papier lieben, vor allem wenn da »Lebenslauf« draufsteht, muss ich Film studieren. Noch ist mein Deutsch nicht gut genug, um mich für das Studium bewerben zu können, mir fehlt das Papier zum Nachweis des C1-Niveaus. Darum mache ich einen Aufbaukurs, aber Deutsch wird nicht leichter, wenn man versucht, es besser zu lernen ...

Doch das Leben geht auch neben dem Deutschkurs weiter. Und nach allem, was ich hier in den Medien lese und höre beziehungsweise nicht lese und höre, weiß ich, was ich bis zum Studium Sinnvolles tun könnte. Schon in Syrien hat es mich gejuckt, mein drittes Auge auf jene Dinge zu lenken, die man sonst nicht sehen kann. Ich möchte das dritte Auge sein, damit es neben Terrorvideos und den Berichten darüber auch andere Sichtweisen gibt. Inzwischen haben sich die hiesigen Zeitungen und Nachrichtensendungen auf das Thema Terrorismus und Islam eingeschossen – aber es wirkt hilflos. Ist es zum Beispiel wirklich ihr Glaube, der junge muslimische Männer dazu verleitet, sich an Terroranschlägen zu beteiligen? Eher unwahrscheinlich angesichts der etwa fünf Millionen in Deutschland lebenden Muslime, die ja nun wirklich nicht alle mit Kalaschnikow oder Sprengstoffgürtel herumlaufen. Für derartige Gewaltaktionen muss es andere Gründe geben als nur einen kleinen Schnitt in der Vorhaut.

Gut drei Jahre ist es her, da traf ich einen 14-Jährigen, der zweifellos zu einem tödlichen Anschlag bereit gewesen wäre ... Afrin war der älteste Sohn einer kurdischen Familie, die während meiner Arbeit für die »Baladi Charity« in Nordsyrien zu unserer Station in der Türkei gekommen war. Die Eltern waren auf der Suche nach einem Psychotherapeuten für ihren Jungen, der noch fast ein Kind war. Vor Monaten war er von Daesh-Milizen gekidnappt worden und eben erst freigekommen. Kinder stehen bei Terrororganisationen in meiner alten Heimat hoch im Kurs. Natürlich verschwinden auch Frauen, denn Menschenhandel ist eine wichtige Einnahmequelle dieser Gruppen, wenngleich lange nicht so einträglich wie Steuern, Kriegsbeute und Öl. Eine hübsche Frau kostete 2013 umgerechnet etwa 50 US-Dollar, ein Kind schon mal das Vierfache.

Ich habe nie erfahren, was zu Afrins Freilassung geführt hat. Vermutlich ein Lösegeld, das seine Familie bezahlt hat. Für einen Europäer bekommen die Kidnapper bis zu 3 Millionen US-Dollar; dagegen sind kurdische Kinder erschwinglich. Nun hatte die Familie ihren Jungen zurück, doch in seinem Kopf hatte sich die Daesh-Propaganda eingenistet. So ein Vierzehnjähriger kann ein guter Rekrut werden, und die Ausbilder von Daesh hatten bei Afrin ganze Arbeit geleistet. Man könnte es auch als Gehirnwäsche bezeichnen. Afrin war ein glühender Anhänger des angeblichen Dschihads geworden. Alles, was der Daesh tat, war richtig, da Gottes Wille; Afrin würde für ihn weiterkämpfen, und zwar sofort. Was hatte Afrin beim Daesh erlebt? Propagandavideos von morgens bis abends, Ausbildung an einer echten Waffe, kein Hunger mehr, dafür Erwachsene, die ihn ernst nehmen, und vor allem eine Aufgabe oder noch besser: eine heilige Mission in dieser Welt. Hätten wir einen Psychotherapeuten gehabt, so wäre Afrin sicher kein leichter Fall gewesen. Denn als Kurde war das Leben alles andere als ein Zuckerschlecken. Die Kurden waren in Syrien die Underdogs, im Irak war es kaum anders und in der Türkei sowieso. Denn die Kurden sind bei der Verteilung der Ländergrenzen nach dem Ersten Weltkrieg genauso leer ausgegangen wie viele andere. Weihnachtsmann und so ...

Wenn ich mir anschaue, wer in Europa bisher unter dem Label »Terrorist« aktiv geworden ist, haben diese Personen verblüffende Ähnlichkeit mit Afrin. Doch sie haben ganz bestimmt nichts mit dem Schreckgespenst zu tun, dass massenweise verdeckte Terroristen im

Schatten der Kriegsflüchtlinge ins Land geschmuggelt werden. Erstens ist die Handvoll gewaltbereiter islamistischer Terroristen in Europa eine heimische Zucht, die am Rinnstein gewachsen ist, und zweitens: Eine Organisation, die Hunderte von Millionen US-Dollar scheffelt, braucht ihre Leute wirklich nicht per Boot übers Mittelmeer zu schippern, sollten sie tatsächlich jemanden nach Europa einschleusen wollen. Doch Afrins gibt es in Europa ja längst. Auch in Deutschland. Hier zum Glück nicht besonders viele, denn Deutschland kümmert sich ja (noch) ganz schön gut um die Schwächeren.

Mit den Flüchtlingen kommen jedoch ganz andere, viel schlimmere Leute, die man aber völlig unbehelligt lässt.

REGULÄRE MÖRDER

Habt ihr schon einmal Schawarma gegessen? Das ist wie der inzwischen fest etablierte türkische Döner, nur – wie ich persönlich finde – deutlich leckerer, weil anders gewürzt. Er kommt im dünnen Fladenbrot daher, und man wird ihn in Deutschland bald noch häufiger genießen können, denn 2015 kamen viele hunderttausend syrische Flüchtlinge hierher, die darauf brennen, Steuern zu zahlen. Die wollen nicht herumhocken. Denn wer will das schon? Minderheiten haben auf dem hiesigen Arbeitsmarkt aber weniger Chancen, als wenn sie ihr Leben und Arbeiten in die eigene Hand nehmen, weshalb Vietnamesen Asia-Snacks eröffnen, Türken Dönerläden und wir Syrer noch so einige Schawarma-Stationen einrichten werden. Und die vielen neuen Syrer geben bestimmt eine gute erste Stammkundschaft ab. Wenn böse Zungen also unbedingt von einer Flüchtlingsinvasion reden müssen, dann wird die sich vor allem kulinarisch bemerkbar machen. Ich finde, das lässt sich ertragen. Und zwar sooo lecker. Mein Tipp: Schawarma unbedingt mal mit Joghurt probieren!

In Syrien ist Schawarma *das* Fast-Food-Gericht, aber auch in Berlin gab es schon vor der syrischen Revolution Schawarma-Läden. Einer von ihnen – mein Stammimbiss – ist in der Sonnenallee. Hierhin lade ich regelmäßig meine deutschen Freunde ein – und mache sie süchtig. Leckere Gehirnwäsche! Einmal, erzählt mein Lieblingswirt, sei auch der syrische Botschafter hier zu Gast gewesen. Ist das nun eine Ehre? Immerhin vertritt dieser Beamte einen Diktator allererster Güte, und so fragte der Herr Botschafter meinen Wirt mit einem schrägen Lächeln, wo denn »die Bilder« seien. Gemeint sind natürlich Hafez oder Baschar al-Assad mit staatsmännischem Blick, hinter ihnen ein Löwe oder Adler, wenn möglich auf syrischer Flagge. In Syrien sind sie fast Pflicht, und ob nun Amtsstube oder Foltergefängnis, überall hängen diese Bilder. Der Wirt aber hat nur zurückgelächelt: »Hier hänge ich keine Bilder an die Wand! Was darf es zu essen sein, Herr Botschafter?« Ein Land, in dem man so einen Satz zu einem so mächtigen Mann sagen kann, muss wirklich frei sein.

Neben meinem Onkel und dem Botschafter sind leider noch andere flammende Anhänger einer menschenverachtenden Diktatur in Deutschland unterwegs, der eine aus Dummheit, der andere aus Kalkül. Selbst syrische Geheimdienste haben schon hier operiert. Ich habe syrische Freunde, die zu Beginn der Revolution bedroht wurden. In Berlin. Auch Tamer Alawam, dem ersten Regisseur von »Syria Inside«, drohten sie, er solle mit seinen Aktivitäten gegen den syrischen Präsidenten aufhören, sonst wäre seine Familie in Syrien in Gefahr. Dass das keine leeren Drohungen sind, habe ich inzwischen selbst erlebt.

Aber während ich mir mein Schawarma schmecken lasse, treffe ich eine weitere Entscheidung: Ich werde mich von nun an auf meine Zukunft als Filmemacher in Deutschland konzentrieren. Darum höre ich auch mit der Recherche nach syrischen Menschenrechtsverbrechern auf. Es bringt einfach nichts. Seit Monaten habe ich auf Facebook Informationen von Freunden gesammelt, denn viele Soldaten aus Assads Armee haben es inzwischen ebenfalls nach Deutschland geschafft, Leute, die schlimmste Menschenrechtsverletzungen begangen haben und sich auf Facebook damit rühmen. Mit der Waffe in der Hand. Der Hisbollah-Kämpfer aus Bremen, den ich dem Bundesnachrichtendienst gemeldet hatte (siehe Seite 91), war nur der Anfang gewesen. Solche Bilder in Siegerpose über getöteten Zivilisten finden sich auch auf Soldatenposts von Assads Armee. Und viele von ihnen haben inzwischen Asyl in Deutschland. Da bist du vor den Folterknechten nach Deutschland geflüchtet – endlich in Sicherheit! – und entdeckst dann auf Facebook, dass der Mann, der dir ein Stromkabel an deine Genitalien gehalten oder deine Kinder auf einer Demo erschossen hat, jetzt ebenfalls hier ist und staatliche Unterstützung bekommt. Ihre Namen zu sammeln und sie der Polizei zu übergeben ist jedoch ziemlich mühselig. Zum einen hat die Polizei gar kein System, um mit arabischen Verbrechern umzugehen. Diese Typen schreiben ihre arabischen Namen in allen offiziellen Papieren mit lateinischen Buchstaben, also so, wie es eben klingt. Ich heiße zum Beispiel gar nicht Firas, sondern فراس. Ich könnte mich also genauso gut Ferahs nennen – und, schwupp, erkennt mich die Software der Polizei nicht mehr. Ein arabisches Suchsystem zu installieren dürfte jedoch ein Ding der Unmöglichkeit sein, wenn schon so ein harmloses Nummernsystem für eine Behörde versagt ...

Zum anderen stoße ich bei der Polizei auf ein gewisses Unverständnis. Der Hisbollah-Kämpfer war immerhin ein Mitglied einer terroristischen Vereinigung. Aber die syrischen Soldaten hier seien ja Angehörige einer regulären Armee. »Sie handeln auf Befehl. Töten ist gewissermaßen ihr Geschäft.« Das bekomme ich von den Polizisten zu hören, wenn ich erkläre, dass diese Soldaten auf unbewaffnete Demonstranten geschossen haben. Doch warum wurden dann die DDR-Mauerschützen zu Gefängnisstrafen verurteilt? Schließlich gehörten auch sie zu einer regulären Armee.

Erst kürzlich brachten zwei deutsche Politikerinnen die Idee auf den Tisch, gegebenenfalls mit Schusswaffen gegen Flüchtlinge vorzugehen. Sollten sie noch geeignetes Personal benötigen, dann gäbe es da ein paar erfahrene syrische Angehörige einer »regulären Armee«, die zufällig gerade in Deutschland sind und sich bestimmt gerne rekrutieren lassen. Auf unbewaffnete syrische Männer, Frauen und Kinder schießen, das können sie schon. Und falls ein Nachweis benötigt wird, ich kann gerne einen ausdrucken ... Aber ich bin es leid, weiter nach ihnen zu suchen. Zumal ein Teil meiner Familie immer noch in Syrien ist. Ich muss also immer noch ein wenig vorsichtig sein. Und nett zu dem syrischen Botschafter. Mein FUCK-ISIS-T-Shirt kann ich aber problemlos tragen. Daesh ist wenigstens eine terroristische

Vereinigung. Auch nach deutschen Maßstäben. Hoffentlich gründen die nicht irgendwann einen Staat mit einer »regulären Armee«.

SÜSSE AUSZEIT VOM SALZIGEN ALLTAG

Ich bin auf dem Weg zu Jan. Neujahr ist vorbei und das Kinoprojekt »Syria Inside« schon längst durch den Festivalkreislauf gewandert; in Beirut hat der Film sogar den »Jury Special Price« für Dokumentarfilm bekommen. Auch mein Sprachkurs für das Filmstudium ist mittlerweile vorbei, ich spreche die Sprache schon wieder ein bisschen besser. »Du sprichst aber gut Deutsch«, das wird mir jetzt immer öfter gesagt, und zwar nicht nur von höflichen Deutschen, sondern auch von anderen Ausländern. Die wollen dann sofort wissen, wie sie das auch schaffen können. Und selbst Jan, ein unbestechlicher Kritiker, der auch ungerührt ausspricht, wenn irgendwas total bescheuert ist, lobt meine Deutschkenntnisse. Jans Aufrichtigkeit hat mich dann auch dazu ermutigt, ihn um einen Gefallen zu bitten. Ich brauche nämlich sowohl ein Firmenpraktikum für meine Bewerbung bei der Filmuniversität in Babelsberg als auch einen von mir geschnittenen Demofilm.

Jan sagte sofort zu beidem »Ja«. Aus dem Kinoprojekt »Syria Inside« war noch eine Geschichte übrig, die wir nicht verwendet haben, weil sie zu blutrünstig und morbide war. Die Geschichte von dem Jungen, der über die Dächer kam. Die soll jetzt für meinen Demoschnitt herhalten, und Jan hat angeboten, mein Statement dazu aufzunehmen, damit es so professionell wie möglich

wird. Das Projekt heißt »Homs. Auf der anderen Seite«.
Da es sehr traurige Erinnerungen sind, die ich vor der
Kamera erzählen will, dämpfen wir das Licht.

2012 hatte ich mit Aktivisten zu tun, die in Homs am
Aufbau der Zivilgesellschaft mitwirken wollten, zumindest auf der Seite der Stadt, die schon von der regulären
Armee befreit war. Zwischen den beiden Stadtteilen lagen
einige Straßenzüge Niemandsland. Mit unserer kleinen
Medienzentrale waren wir ziemlich nah an der Front. Ich
filmte, wir organisierten Demos und posteten sehr viel in
den sozialen Netzwerken. Eines Tages gelangte ein Junge zu uns, der über die Dächer gekommen war. Er war
vielleicht elf Jahre alt und halb verhungert. Wir brachten ihn zu einem Arzt, denn der Junge war offensichtlich auch stark traumatisiert. Irgendwann aber konnte
er uns erzählen, dass seine ganze Familie im Niemandsland zurückgeblieben war. Männer mit Gewehren waren
in ihre Wohnung eingedrungen und hatten geschossen.
Der Junge konnte sich über die Dächer retten und dort
mehrere Tage überleben. Zu der Wohnung seiner Familie zurückzukehren wagte er nicht. Als der Hunger ihn
schließlich weitertrieb, landete er bei uns.
   Wir beschlossen, die Familie zu retten, sollte es Über-
lebende geben. Wegen der Scharfschützen konnten wir
aber nicht einfach die Straße benutzen. Und so fingen
wir an, Nacht für Nacht Löcher in die Hauswände zu
hauen, bis auf diese Weise ein Tunnel durch verlasse-
ne Wohnungen entstand. Obwohl die Wohnung der
Familie eigentlich um die Ecke war, brauchten wir vier
Nächte, bis wir das Haus erreichten. Viel Hoffnung hatten wir jedoch nicht. Und als wir den Hausflur betraten,
empfing uns ein bestialischer Gestank. Wir mussten die

Fenster öffnen, bewegten uns dabei aber sehr vorsichtig, denn ein Sniper konnte jederzeit die Fensterbewegung bemerken und feuern. Auf der Treppe lagen Tretminen. Dann fanden wir auch die Wohnung und die Familie des Jungen. Frauen und Kinder, durchsiebt von Kugeln, weiße Kadaver und überall getrocknete Blutspritzer an den Wänden. Bis heute weiß ich nicht, ob das die regulären Truppen des Regimes verbrochen hatten oder Daesh oder vielleicht auch die Hisbollah. Und warum diese Menschen sterben mussten. Ich bezweifle jedoch, dass es einen echten Grund gab. Wahrscheinlich war diese Familie nur zur falschen Zeit am falschen Ort gewesen.

Wir transportierten die Leichen in Teppichen durch die Löcher in den Hauswänden zurück und dann zum Friedhof. Dort gerieten wir unter Scharfschützenbeschuss. Selbst die Toten zu beerdigen war inzwischen zu einer lebensgefährlichen Aktion geworden. Ich habe damals alles gefilmt. Es war so unbeschreiblich, dass es vielleicht nur das nüchterne Auge einer Kamera festhalten kann. Worte können das nicht. Deshalb will ich mit Filmen arbeiten.

Nach den Aufnahmen fragt mich Jan – der diese Geschichte schon kennt –, ob wir heute noch etwas anderes drehen wollen. Der andere Film soll aber etwas Lustigeres werden, denn die Stimmung ist gerade ziemlich im Keller. Jan plant so eine kleine Non-Profit-Geschichte über Flüchtlinge, mit einem Logo aus Zucker. Das wäre dann auch Teil meines Praktikums bei ihm. Ich selber habe kein Problem damit, mit dem Dreh dieses Zuckerstückchens anzufangen. Leiden und Lachen liegen immer sehr eng beieinander. Ich habe ja auch gelacht, als ich aus dem Foltergefängnis kam. Der Humor ist tief in mir drin.

Ich schlage vor, dass wir die »Umarmungen vom Alexanderplatz« einbauen. Ich bin schon ziemlich müde, als ich mich auf die beste Couch im Studio setze. Als Jan mich da sitzen sieht, meint er: »Komisch, als hätte ich die für dich gekauft. Aber schlaf jetzt bloß nicht ein!« – und sofort stelle ich mich schlafend. Jan beginnt zu drehen: »He, das ist gut! Das machen wir, weil du doch so lange auf Umarmungen warten musstest.« Wir blödeln weiter so herum und erfinden immer mehr lustige Sprüche: »Ich habe in Syrien Filme gemacht, wenn ich nicht gerade im Gefängnis war, weil ich Filme gemacht habe!« Das trifft meine Aktivistenzeit in Syrien wirklich genau. »Die Deutschen haben mir schließlich doch eine Umarmung gegeben.« Im Grunde haben sich die meisten Menschen ganz anders verhalten als ihre Bürokratie. Nicht nur auf dem Alexanderplatz. »Die Deutschen brauchen länger, aber dann sind sie nicht zu stoppen. Darum glaube ich, die Integration wird klappen. Irgendwann!« Wir lachen uns kaputt, haben noch eine Idee und noch eine – und vergessen die Zeit. Es ist wie eine süße Auszeit vom salzigen Alltag, der aus Geld verdienen, Sorgen, trüben Aussichten und all den miesen Nachrichten im Fernsehen besteht. In unserem Videodreh geht es zwar auch um Krieg und Integration und Probleme, aber irgendwie können und wollen wir einfach nicht ganz ernst bleiben.

Wenn wir gewusst hätten, was schon ganz bald daraus werden würde: Wir hätten uns wieder kaputtgelacht ...

DIE KAMERA EINES TOTEN

Als mir Jan – damals war er für mich noch »der Produzent« – zum ersten Mal per Videochat von dem syrisch-deutschen Filmprojekt erzählte, war ich überrascht: Kinder sollten die Szenen vom Beginn der Revolution nachspielen. Außerdem wollte er gerne Alltagsszenen aus dem heutigen Syrien. Das war neu, normalerweise konnte es den westlichen Medien gar nicht blutig und krass genug sein.

Ich sollte also in Syrien drehen, obwohl ich inzwischen in die Türkei geflohen war ... Mir wurde sogar eine gute DSLR-Kamera zur Verfügung gestellt, die mir eine Bekannte des Produzenten bei einer ihrer Reisen von Beirut in die Türkei mitbrachte. Dass es sich dabei um die Kamera von Tamer Alawam handelte, erfuhr ich erst später, gab der ganzen Übergabeaktion aber einen symbolischen Charakter. Ja, ich wollte Tamers Projekt vollenden. Wer weiß, vielleicht ist »Syria Inside« die letzte Doku über die syrische Revolution, dann wäre ich bei der ersten und bei der letzten dabei gewesen.

Also ging ich nach Idleb, in den Norden meiner Heimat, und fing an, nach Anweisung zu drehen. Zwanzig Tage lang, und dann wollte Jan gerne noch einige Aufnahmen aus einer Bäckerei. Also ging ich nach Rakka, wo allerdings in der Nacht gedreht werden musste, denn gebacken wurde nur noch heimlich, seit Bäckereien beliebte Ziele der syrischen Luftwaffe in den Rebellengebieten waren.

Die Schlange vor der Bäckerei war lang, doch die

Stimmung sehr gelöst. Drinnen verstand ich auch, warum: Der Bäckermeister hatte beschlossen, das Brot weiterhin zum normalen Preis zu verkaufen, obwohl er der letzte Bäcker am Ort war. Für mich ist er deshalb ein Held. Denn viele Menschen versuchen, aus dem Krieg Kapital zu schlagen, wenn sie nur die Gelegenheit dazu bekommen. Knappe Güter sind begehrt, und Brot war ein knappes Gut. In anderen Städten war der Brotpreis um das Fünffache gestiegen. Schließlich war die Konkurrenz weg, tot oder geflüchtet, und plötzlich konnte man jeden Preis nehmen. Doch der Bäcker in Rakka hatte der Verlockung widerstanden. So ist es im Krieg: Menschen, die zu Helden oder auch Monstern werden, waren vorher ganz normale, einfache Leute.

Ich wurde inzwischen von ein paar FSA-Mitgliedern begleitet; die Tatsache, dass wir einen Film für einen Deutschen drehten, hatte sich herumgesprochen. Leider ein bisschen zu sehr: Kurz nach dem Bäckerei-Dreh erschienen schwarzgekleidete Kämpfer, eindeutig Islamisten, aber keine Daesh-Schergen. Die Daesh war damals auch noch nicht so mächtig – ich kannte diese Gruppe nicht einmal. Die Männer wollten nicht, dass ich filme, zu leicht könnte das Material dem Regime einen Hinweis geben und einen Luftangriff provozieren. Da die Islamisten nicht lange fackelten, kam es schnell zum Streit, sogar Schüsse fielen. Wir waren jedoch nur zu fünft und die schwarzen Kerle sehr viele. Uns blieb nichts anderes übrig, als uns zu ergeben. Knapp zwei Tage lang wurde ich gefangen gehalten.

Man verlangte, dass ich haarklein erkläre, was meine Aufnahmen bezweckten, aber geschlagen wurde ich nicht. Dann durfte ich auch schon wieder gehen. Doch für mich war es das Signal: Selbst in den befreiten Gebieten war es wieder vorbei mit der Freiheit. Wieder war da jemand, der alles und jeden kontrollierte – und das hielt ich nicht mehr aus. Hier konnte ich nicht bleiben, und filmen schon gar nicht. Jetzt hatten sie sogar meine Daten, und sie wurden immer stärker in Nordsyrien.

Der Vormarsch dieser Islamisten machte mich traurig und wütend. Sie spielten sich als die Retter und Bewahrer der Bevölkerung auf. Während die FSA an der Front gegen Assad kämpfte, hatten sie sich klammheimlich in den befreiten Zonen breitgemacht. Wo waren diese selbsternannten Gotteskrieger, als wir in Damaskus und Homs die ersten Demos gemacht haben? Wo waren sie, als die Freie Syrische Armee gegründet wurde und anfing, sich gegen die Regierungsarmee zu stellen? Diese Islamisten kamen alle später und begannen verstärkt, Leute für ihre Sache zu rekrutieren. Es war ein Riesenfehler, sich nicht gleich darum zu kümmern. Neben der Zivilverwaltung bauten sie ihre Scharia-Gerichte auf und erhielten Geld und Waffen ohne Ende, vor allem aus ihren internationalen Netzwerken. Ohne den Krieg hätte es so etwas nie gegeben.

Bis dahin waren verschiedene Religionen in der syrischen Gesellschaft kein großes Thema gewesen, In meinem Freundeskreis waren Sunniten, Schiiten, Christen, Alawiten – es gab Unterschiede, aber keine Spannungen. Dass ein Alawit vom Geheimdienst sein könnte, ließ uns vorsichtig sein – aber es war bestimmt nicht sein Glaube. Erst mit dem Aufstieg der Warlords, den vielen Toten durch die alawitisch kontrollierte Assad-Armee kam der Hass. »Tod allen Alawiten« habe ich erst im Bürgerkrieg gehört, als die Menschen den Tod bereits in der Familie hatten.

Jetzt wurden die Gräben immer breiter und tiefer, und der Einfluss der islamistischen Gruppen wuchs so schnell wie ihre Finanzen.

Ich fuhr wieder über die Grenze in die Türkei und erklärte dem Produzenten: »Ich kann nicht mehr nach Syrien zurück.« Aber ich hätte so viel gedreht, es würde schon reichen. Daraufhin schlug Jan plötzlich vor: »Kannst du nicht herkommen? Zum Schneiden? Das wäre viel einfacher.«
Ich kippte vom Stuhl.

ICH KOMM AUF DEUTSCHLAND ZU

Die letzten Wochen bis zu meinem Flug haben mich hervorragend auf Deutschland vorbereitet: Ich brauchte ja ein Visum – in meinem Fall ein ganz normales Arbeits- oder Schengenvisum für drei Monate, und so etwas bekommt man bei der jeweiligen Botschaft, sollte also eigentlich kein Problem sein. Es waren natürlich eine Menge Papiere nötig. Aber mein neuer Chef in Deutschland hatte alles organisiert. Sobald jedoch alle Papiere vorlagen, herrschte seitens der deutschen Botschaft in Ankara Funkstille. Mehrfach rief ich dort an, aber immer wieder bekam ich nur die allgemeine Auskunft: »Wenn Sie noch keine Mitteilung bekommen haben, warten Sie.« Eine Woche nach der anderen verging. Ich hatte kaum noch Geld und schlief bei einigen türkischen Islamstudenten, die mir Platz in ihrem Wohnheim anboten – ganz egal, wie religiös oder unreligös ich nun war. Danach fragte dort niemand. Das ist für mich ge-

lebter Islam, nicht die waffenstarrenden Mafiosi der Isla-
mistengruppen, die meinen, sie seien Gottes heilige Kalaschnikow. Wenn Allah auf jemanden stolz sein kann,
dann auf diese Studenten.

Meinen Visumantrag hatten die Deutschen an einen
externen türkischen Dienstleister, iDATA in Istanbul,
abgegeben. Der übermittelte meinen Antrag endlich
nach langem Hin und Her an die deutsche Botschaft in
Ankara, danach dauerte es noch mal zwei Wochen, dann
kam die Rückmeldung: Kein Visum. Ohne jegliche Be-
gründung. Beschwerden seien nur mit direktem Termin
bei der deutschen Botschaft möglich. Also machte ich
einen Termin – der frühestmögliche war einen ganzen
Monat später. Außerdem musste ich nach Ankara fahren, was bedeutete: acht Stunden mit dem Bus. Als ich
nach dieser Odyssee endlich in die Botschaft durfte –
wieder langes Warten, bis ich drankam –, wunderte sich
die Beamtin:

»Was machen Sie denn hier? Wir haben doch Bescheid
gegeben, dass es kein Visum gibt.«

»Ja, aber ich habe hier einen Termin, um nach dem
Grund zu fragen.«

»Ich darf Ihnen keinen Grund nennen. Sie bekommen
einfach kein Visum. Bitte gehen Sie.« Pause. »Nächster
bitte!«

Wie Monate später auf dem LAGeSo in Berlin.

Ich war völlig fertig und rief bei Jan an. Der regte sich
furchtbar auf.

»Bleib vor der Botschaft. Geh nicht weg. Ich kümmere
mich drum!«

Keine Ahnung, was er alles angestellt hat. Aber immerhin hat er mit dem Botschafter persönlich gesprochen.
Wie ein so wichtiges Kinoprojekt derart behindert wer-

den könne und dass er den nächsten Film wohl über die unsäglichen Zustände der Auslandsbotschaften drehen werde und was weiß ich noch alles. Es geht eben nichts über Kontakte ...

Es war keine halbe Stunde seit meinem Telefonat mit Jan vergangen, als eine Person zu mir in den Warteflur kam.

»Sind Sie Herr Alshater?«

»Ja, der bin ich.«

»Kommen Sie mit, wir machen Ihr Visum fertig.«

Ich saß zum Glück auf einer Bank, sonst wäre ich bestimmt wieder umgekippt. Jan hat mir später erklärt, die hätten einfach nicht glauben können, dass ein Syrer von einem deutschen Produzenten engagiert und nach Deutschland geholt wird. Das sei noch nie vorgekommen. Also wurde es auch nicht weiter geprüft. Aber jetzt war ich plötzlich ein VIP. Sie versprachen, meine Unterlagen sofort nach Berlin zu schicken. Sie entschuldigten sich, weil in Berlin am nächsten Tag Ferien seien und es darum einen Tag länger »als üblich« dauern könnte. »Und möchten Sie vielleicht etwas zu trinken, Herr Alshater?«

Zwei Tage später bekam ich einen Anruf, gleich morgens um 9 Uhr: »Herr Alshater, kommen Sie bitte in die Botschaft, Sie können Ihr Visum abholen.« Ich wollte es nicht wahrhaben, bis ich in der Botschaft tatsächlich meinen Pass abgeben konnte. Diesmal musste ich auch so gut wie gar nicht warten, dann bekam ich ihn wieder. Aber fehlte da nicht etwas?

»Und mein Visum?«

»Ist drinnen. Machen Sie den Pass auf.«

Ich schlug ihn auf, und da war es – ein kleines Stück Papier, eingeklebt in meinen Pass.

So schnell ich konnte – und das ist wegen der Folter-
folgen nicht sehr schnell –, rannte ich aus der Botschaft.
Wer weiß, ob sie es sich nicht noch mal anders überleg-
ten. Als ich draußen war, wollten alle wartenden Menschen meinen Ausweis bestaunen.

»Wie hast du das denn nur geschafft?«

»Ganz einfach: Ich bin Firas Alshater ... Und jetzt
komm ich auf Deutschland zu!«

VI
PLÖTZLICH
YOUTUBE-
STAR

»DU BIST DOCH DER TYP
VON DEM VIDEO!«

Ich wache auf und gucke wie jeder heutzutage erst mal auf mein Smartphone: Uhrzeit, Wetter, Mails checken. Bin noch ganz zerknautscht, aber Jan hat mir eine E-Mail geschickt, sein Cutter habe das Video von unserem Sofadreh schon fertig geschnitten, und nun habe er es kurz vor dem Wochenende schon mal hochgeladen, zum Test. Die Mail ist von heute Morgen. Jan ist nämlich oft schon vor Sonnenaufgang im Büro, so deutsch werde ich wohl nie. Ich habe eine andere Betriebstemperatur. Aber plötzlich bin ich hellwach: Da sind ja schon 20 000 Klicks auf das Video. 20 000 Menschen haben unser Video angesehen! Ich lade es direkt auf meinen Facebook-Kanal hoch – und noch am selben Abend hat es dort über 100 000 Zuschauer. Es ist unfassbar. Und als ich in die Shisha-Bar komme, in der ich mit Freunden verabredet bin, fragt mich der libanesische Wirt: »Bist du der Typ von dem Video, dieser Firas?«

»Äh, ja, der bin ich. Wieso?«

»Tut mir leid, heute ist alles reserviert!«

Die Shisha-Bar ist ziemlich leer, weshalb es wohl damit zusammenhängen muss, dass er für Assad und Hisbollah ist und ich nichts bei ihm zu suchen habe. Ich drehe mich um, was soll man da lange diskutieren, aber auf dem Weg nach draußen erkennen mich auch einige Gäste:

»Bist du der Firas? Der von dem Video?«

»Äh, jaaaa?«

Und schon rufen sie: »Du bist unglaublich, dein Video ist so toll ... Können wir dich umarmen?«

Ja, können sie, natürlich.

Es folgt das verrückteste Wochenende, das ich je erlebt habe. Bis Sonntagmittag sehen knapp eine halbe Million den kleinen Videoclip. Ich rufe Jan an. Der hat erstaunlicherweise noch nicht viel davon mitbekommen.

»Meine Güte, Firas, da kriegt man ja Angst!«

»Ja, aber ist doch auch cool, oder?«

Jan ist skeptisch, befürchtet einen Shitstorm an Hasskommentaren, wie so oft, wenn es um das Flüchtlingsthema geht. In Deutschland ist es nämlich gerade in Mode, sich über Flüchtlinge gegenseitig virtuell die Köpfe einzuhauen. Doch unter unserem Video gibt es zwar Hunderte von Kommentaren, aber so gut wie keine negativen Sprüche oder gar Hass. Alle sind total begeistert. Jan ist immer noch skeptisch.

»Das ist doch nicht normal. Wo sind die ganzen Trolle? Da müsste es doch nur so wimmeln!«

Schon am Sonntag rufen die ersten Zeitungen und Fernsehsender an. Alle wollen sie nur wissen, ob das wirklich echt ist, und bitten um ein Interview. Ja, ich bin echt – und am Montag hätte ich Zeit. Noch immer scheint uns das einfach nur lustig und nett zu sein. Was machen wir denn jetzt? Noch ein Video? Die Leute fragen schon danach – ich bekomme Mails und Nachrichten ohne Ende. Auch Jan hat plötzlich keinen Sonntag mehr, zu viele Kommentare sind zu beantworten. Aber gleich morgen will er mit ein paar NGOs reden, immerhin war das Video eine Demo für eine kleine Serie. Vielleicht will sie ja jemand finanzieren. Gute Argumente hätten wir jetzt.

Und Deutschland hat immerhin gerade seinen Refugee-welcome-Sommer erlebt. Viele neue Vereine sind entstanden, aber auch viele der großen Hilfsorganisationen haben sich engagiert. Schon nach wenigen Stunden haben andere Seiten unser Video geklaut und selber hochgeladen. Nicht die feine Art, aber wir entscheiden, es erst mal zuzulassen. Jan wollte ja auch nur wissen, ob die Leute das mögen, und so ein Experiment sollte man nicht abbrechen. Wir verdienen sowieso nichts daran. Also geben wir es komplett frei – und das Video rauscht wie eine Lawine durch die Netzwerke. Die Leute teilen und teilen und teilen. Warum denn bloß? Haben die alle noch nie einen Flüchtling gesehen, der witzig ist?

Ein Flüchtling, der Comedy macht, scheint wirklich neu zu sein. Irgendwie will man ihnen zurufen: »He, Leute, das war nur ein Witz!«

Ja eben. Und was für einer.

Ganz viele bieten mir nun auch virtuell eine Umarmung an, weil sie mich damals auf dem Alexanderplatz verpasst haben. Einige geben sogar zu, sich damals nicht getraut zu haben. »Wäre ich nicht so schüchtern, hätte ich Dich umarmt!«

Eine Frau schreibt sogar, ich solle mich doch noch mal hinstellen. Dann nimmt sie sich an dem Tag frei, und ich bekomme einen dicken, echt schwäbischen Schmatzer auf die Backe.

Unglaublich viele Menschen – jedes Alter, jede Schicht – schreiben mir, finden mich sympathisch.

»Du bist ja derbe, der sympathische Dude!«

»Ich hatte mich eigentlich von YouTube verabschiedet – Deinetwegen bin ich zurück, um Deinen Kanal zu abonnieren. Als einzigen!«

»Firas, wäre ich jünger, würde ich Dich heiraten. So kann ich Dir nur eine Adoption anbieten!«

»Was Du über uns Deutsche sagst, stimmt! Wir brauchen wirklich länger – aber es hält auch länger.«

»Sie, Herr Alshater, sind eine Bereicherung für unser Land.«

»Habe Dein Video jetzt siebenmal angesehen, und lache immer wieder!«

Ein Kommentar berührt Jan und mich besonders:

»Endlich mal kein Hass!«

Ich glaube, auch das erklärt die enorme Verbreitung – die Menschen wollen nicht mehr streiten. Sie haben es satt. Diese permanente Hetze der Flüchtlingsgegner gegen Pro-Asyl-Menschen und umgekehrt die ebenso aufgeladene Hetze gegen »Nazis«. Das hängt vielen zum Hals raus. Aber keiner bewegt sich, es ist ein Stellungskrieg. Nur bin ich kein Teil davon, obwohl es hier um Flüchtlinge geht. Darum ist meine Stimme wohl etwas Neues, und plötzlich tut sich was.

Die wenigen kritischen Kommentare haben übrigens echten Unterhaltungswert. Einer schreibt zum Beispiel: »Blödes Video, Mainstream, gut, dass niemand hier das mag.« Grins. Ich glaube, besser kann man sich selber online ein Bein gar nicht stellen. Hass hat viel mit Angst zu tun, aber genauso viel auch mit Dummheit und Unwissen. Ein anderer schreibt: »Unmöglich, was würde einem Deutschen passieren, der sich so in der arabischen Welt benimmt? Was würde Deutschen passieren, die Kirchen in Syrien bauen?«

Entschuldigung, aber in Syrien stehen ja schon eine Menge Kirchen gleich neben den Moscheen, sofern sie nicht inzwischen weggebombt worden sind. Aber in

Deutschland weiß ich genau, was passiert, wenn jemand eine Moschee bauen will ...

Und manche Kommentare sind kurz, knackig und kindisch. Zum Beispiel: »Dumm!« Hoiii, das muss eine Intelligenzbestie gewesen sein.

Solche Kommentare hätten mich früher wütend gemacht. Aber das ist lange vorbei. Es sind nicht die einfachen Leute, die irgendwann Kriege führen. Das machen die Mächtigen. Wenn Assad Krieg will, gibt es Krieg. Wenn der Präsident der USA Saddam Hussein angreifen will, gibt es Krieg. Wenn Heinz Müller aus Hintermwald in Thüringen über Firas Alshater hetzen will und auf Facebook seinen Frust rauslässt, gibt es keinen Krieg. Solange es die Bundesregierung nicht will. Zum Glück will sie nicht. Ich hab meine Angst vor bösen Kommentaren wirklich verloren. Sie sind traurig. Mehr nicht. Für die Medien aber sind diese Kommentare das Zeichen eines beispiellosen Niedergangs, des Endes der Kultur, des Verlusts der Menschenrechte und so weiter. Klar, das wäre ja auch aufregender. Katastrophen verkaufen sich einfach besser. Aber ich habe auf dem Alex gestanden, und ich wurde nicht bespuckt. Krieg kommt nicht von unten. Er kommt von oben. So wie die Fassbomben in Syrien.

Und schließlich gehen die Hater-Kommentare im Meer der Glückwünsche unter. Das wärmt einem schon das Herz.

Dann aber passiert noch etwas ganz Verrücktes. Es kommen erste freundliche Kommentare von »besorgten Bürgern«, die mir ihre Bedenken kundtun, aber einen Gruß senden.

»Bravo! Ich bin jemand, der gegen diese Asylpolitik

ist, jedoch nicht gegen Flüchtlinge, die wirklich vor Krieg oder Verfolgung fliehen und hier ein neues Leben/ Zuhause aufbauen wollen. Daher finde ich Dein Video super und Du bekommst von mir eine +1!«

Es ist, als würden sich diese Menschen verwundert die Augen reiben: »Ach, so seid ihr Flüchtlinge also? Ist ja ganz nett. Wer hätte das gedacht?« Und ich frage mich, wieso es den deutschen Medien bisher nicht gelungen ist, genau diesen Ängstlichen und Besorgten die geflüchteten Menschen einmal näherzubringen. Oder der Politik. Stattdessen habe ich immer nur über Konflikte gelesen. Über brennende Flüchtlingsheime. Demos pro und Demos kontra. Straftaten von Flüchtlingen, Straftaten gegen Flüchtlinge. Alle wissen, was dieser und jener Politiker zu der Flüchtlingsfrage gesagt hat oder sagt. Aber kaum jemand weiß, was die Geflüchteten dazu sagen. Oder was sie überhaupt zu sagen haben, wenn man sie mal fragen würde. Vielleicht haben sie nicht nur traurige Geschichten im Gepäck, sondern auch lustige?

DER MEDIEN-HURRIKAN

Das Wochenende, das keines war, ist vorbei. Schon am Sonntag gab es erste Anrufe von Sendern, aber seit dem Montagmorgen hört mein Telefon gar nicht mehr auf zu klingeln. Bei Jan ist es nicht anders. Alle großen Zeitungen, von *BILD* über *ZEIT* bis zur *Süddeutschen*. Direkt danach die Radiosender, und zwar nicht nur in Berlin, sondern die ganze Palette bis hin zum Bayerischen Rundfunk: Alle wollen sie mich zum Interview haben. Und alle jetzt am Montag. So viel Montag gibt es gar nicht, wie es Interview-Anfragen gibt. Ich bitte Jan um Hilfe. Das schaffe ich nicht alleine. Wir haben etwa eine Stunde am Morgen, um uns abzusprechen. Jan sagt alle Termine des Tages ab und beginnt, meine Interviews zu organisieren. Es passiert ganz automatisch – ich trete vor die Mikros der Radiojournalisten und die Linsen der Kamerateams, und er organisiert im Hintergrund herum. Am Montag sind es gleich sechs Sender, die zu uns in das kleine Filmstudio kommen. Ich muss auf der inzwischen berühmten Couch sitzen, immer wieder dieselbe Geschichte erzählen und habe bald nur noch eines: Kopfweh. Dazu kommen mehrere Interviews per Videokonferenz über Skype, aber auch am Telefon – irgendwie reingequetscht, während das nächste Kamerateam seine Technik aufbaut. Wir schreiben eilig ein erstes Pressestatement, um die vielen Anfragen zu bedienen, die wir nicht wahrnehmen können. Ich hätte nie gedacht, wie anstrengend Interviews sind, wenn man das den ganzen Tag macht. Hut ab vor all den Stars und Sternchen, den Medienmenschen, die das ständig an der Backe haben. Die müssen ja Nerven wie Drahtseile haben ...

Als der Tag vorbei ist, will ich mich nur noch auf diesem Sofa ausstrecken und liegen bleiben. Ich bin fix und fertig, aber irgendwie haben wir den ersten Tag überstanden.

»Jan, haben wir alle durch?«, frage ich.

»Ja. Aber Morgen noch mal dasselbe, ach, nee, Moment, da kommen noch drei mehr: die Tagesschau, ZDF, die *FAZ*, außerdem am Mittwoch ein paar Studiotermine und die ersten internationalen Zeitungen. *Washington Post*, sagt dir das was? Firas? He, Firas?«

Ich bin eingeschlafen.

Diese erste Woche ist die Hölle. Wirklich und ohne Spaß. Wir kommen kaum zum Essen, und jeder zweite Journalist will wissen: »Wann drehen Sie das nächste Video? Können wir live dabei sein? Wie viele Videos haben Sie geplant? Warum gibt es nur dieses eine?«

Scherzkeks! Wie sollen wir drehen, wenn ich von morgens bis abends nur Interviews gebe? Inzwischen nähert sich das Video der Zwei-Millionen-Marke. Die Medien flippen völlig aus. Die Anfragen werden so viel, dass Jan kurzerhand einen Mitarbeiter freistellen muss, nur um die Telefonanfragen verwalten zu können.

Spätestens als die ausländischen Medien anfragen, gibt es für uns keinen Zweifel mehr: Dieser Sturm ist nicht nur ein kurzes Wetterleuchten. An einem Tag gebe ich zwölf Teams hintereinander ein Interview. Meine Birne ist Matsch, aber ich mache immer weiter und weiter. Jetzt heißt es: Entweder Flügel ausbreiten und sich aufschwingen – oder wegen Mangelernährung umkippen. Als wir kurz zum Luftholen kommen, halten Jan und ich Kriegsrat. Wir vereinbaren, dass er sich um mein Management kümmert, und schließen einen Vertrag. Ich war noch nie YouTube-Star, er noch nie Manager, aber immerhin kennt er Deutschland und die Medienwelt ziemlich gut, und ich kenne die Probleme der Flüchtlinge aus eigener Erfahrung – und habe Schauspiel studiert. Es kann schon was werden, vielleicht sogar eine Karriere? Wir beide beschließen, es einfach zu versuchen.

Irgendwie ist es wieder wie zu Beginn unserer Bekanntschaft: Wir brauchen einander, und es ist für uns beide ein neuer Abschnitt im Leben. Alles verändert sich. Aber wenn man ein gutes Team ist, dann ist 1 + 1 manchmal mehr als 2. Von jetzt an werden wir uns auf das ZUKAR-

Projekt konzentrieren. Den Journalisten erkläre ich geduldig, warum die Videoserie ZUKAR heißt: Erstens schmeckt Zucker gut, und zweitens klingt das Wort in allen drei Sprachen gleich: Arabisch »zukar« سكر, Englisch »sugar«, Deutsch »Zucker«. Jeder versteht es. Jeder mag es. Und genau darum soll es in den Videos gehen: um Verständnis, um die Dinge, die uns allen gemeinsam sind – und gut schmecken soll es natürlich auch.

Jemand hat mich in den Kommentaren bereits einen »süßen syrischen Teddy« genannt. Aber eigentlich geht es vor allem um Humor und um eine sehr arabische Eigenart: Bei uns gibt es kein Kennenlernen ohne Tee. Und so gut wie keinen Tee ohne viel Zucker drin. Die Flüchtlingsdebatte ist sauer genug – bisschen was Süßes zwischendurch kann da nicht schaden, oder?

Ich erkläre das übrigens wirklich *jedem* Journalisten, genauso wie ich jedem mein Geburtsdatum mitteile, woher ich komme, seit wann ich in Deutschland bin. Bald schon frage ich mich, wieso es eigentlich immer dieselben Fragen sind. Steht doch alles in unserem Infopapier. »Ja, aber für unsere Zuschauer brauchen wir es noch mal vor der Kamera, dass Sie uns das sagen.«

Irgendwann werden die Zuschauer sich noch zu Tode langweilen, wenn sie jedes Mal beim Umschalten wieder genau die gleichen Dinge hören. Warum gibt es zehn Sender, wenn jeder die gleichen Infos bringt? Bei uns in Syrien kann ich das verstehen, alle Sender sind regimegesteuert, und weil Russland der Freund des Regimes ist, hört man auf Russia Today eben auch das gleiche Blablablubb. Auf Al Jazeera erfährt man dafür dann fast genau das Gegenteil. Hier in Deutschland sind die Medien doch frei, oder? Okay, alle lieben mich, ist ja auch sehr schön, trotzdem gibt es nicht einen Sender, der auch mal etwas

Kritisches über unser Video bringt. Dafür aber von morgens bis abends »Die besten Hits der 80er, 90er, 2000er und von heute«. Als hätten die alle im selben Supermarkt dieselbe CD-Kollektion gekauft. Schon komisch. In diesem Land gibt es so viel Freiheit und so wenige nehmen sie sich heraus. Na gut, dann erzähle ich es eben immer wieder, immer die gleichen Infos. Leier, Leier, Rhabarber, Rhabarber, irgendwann kann ich meine Geschichte in- und auswendig und entscheide: In meinen Videos mache ich jedes Mal ein bisschen was anderes, ich will Neues erzählen. Nicht immer nur Rhabarber.

Am Ende der Woche, nur acht Tage nach der Videoveröffentlichung, haben wir ein erstes Produktionsgespräch bei einem TV-Sender. Sie wollen eine Serie mit mir starten. Doch im Verlauf der Verhandlungen erlebe ich genau dasselbe: Sie wollen Rhabarber, nur diesmal Rhabarber mit Bart. Firas, der Rhabarberbart. Ich soll Deutschland im Ausland repräsentieren. Über Wurstherstellung meine Witzchen machen. Das hatten sie schon mal vor vielen Jahren, lief sehr gut, und jetzt wollen sie es eben wieder aufwärmen. Dasselbe in Grün. Oder dasselbe in Firas. Es ist so originell wie die Erfindung des Rads, Teil zwei – *Das Rad: Jetzt noch runder!* Jan und ich diskutieren, und schließlich lehnen wir ab. Einige Bekannte fassen sich an den Kopf. Wie kann man ein TV-Angebot ablehnen, egal, was es ist? Ganz einfach: Man bleibt sich treu. Es ist eben nicht egal, was es ist. Es ist nicht egal, womit man sein Leben verbringt. Es muss einfach noch mehr geben als Rhabarber.

Es folgen weitere Produktionsanfragen von Sendern sowie Anfragen von Kampagnen, Hilfsorganisationen und Plattformen. In neun von zehn Fällen sagen wir ab, weil wir uns nicht vor einen fremden Karren spannen lassen wollen. Wir haben unseren eigenen Karren. Allerdings haben wir mit dem noch keinen Cent verdient. Und ob das jemals passieren wird, steht in den Sternen. Aber der Mediensturm nimmt nicht ab. In den ersten vier Wochen nimmt er sogar noch zu, bekommt jedoch eine andere Qualität. Die Breaking-News-Anfragen werden weniger, inzwischen hat nämlich auch Heinz Müller in Hintermwald mitbekommen, dass es Firas gibt. Das wusste er schon vorher, aber seit ich in den Medien bin, bin ich offenbar ein anderer. Das lerne ich jetzt. In Deutschland bist du nichts ohne Papiere, aber erst wenn du in die Medien kommst, »bist du wer«. Viele Syrer schreiben mir, dass ich jetzt eine große Verantwortung habe, dass ich jetzt die Geflüchteten repräsentiere, dass ich das Bild von ihnen in der deutschen Gesellschaft verändern kann. Und einige Medien geben mir komische Titel wie *Erster Flüchtlings-YouTuber,* andere scheinen Flüchtling mit Dubai zu verwechseln: *Firas zeigt uns ein neues Bild der Flüchtlinge.* Und wenn man das Wort »Flüchtlinge« durch »Schwerkranke« ersetzt, merkt man, wie diese Bezeichnungen in meinen Ohren klingen. Ein Flüchtling zu sein ist ein schreckliches Schicksal, das sich niemand ausgesucht hat, ein Handicap, auf das niemand stolz ist. Und plötzlich soll es da eine Gruppe geben, die *ich* repräsentiere? Der erste Hartz-IV-YouTuber? Der erste Krebs-YouTuber? Und was ist mit den vielen Flüchtlingen aus Ländern, in denen ich nie war? Soll ich die auch repräsentieren? Ja, Deutsche lieben nicht nur Papier, sondern auch Schubladen. Und manche Leute gehen eben überall hin, wenn sie keinen anderen Platz finden, auch in solche Schubladen. Das ist das Los der Geflüchteten. Der Heimatvertriebenen. Der Indianer, Juden, Kurden, Sudetendeutschen, Palästinenser und Omaticaya vom Planeten Pandora. Und doch bitten mich die Flüchtlinge um diesen Dienst: Viele wünschen sich, dass es nicht nur negative Schlagzeilen gibt. Die »Flüchtlingskrise« - »Schlägerei im Flüchtlingsheim« - »Diebstahl - offenbar Flüchtlinge beteiligt« usw. Sie alle wünschen sich, dass es mal heißt: »Ein lustiger Flüchtling!«

Yallah, da kriegt man schon Gänsehaut. Ich hatte nie ein Problem, auf einer Demo das Megaphon zu nehmen, selbst unter Lebensgefahr. Aber dieses Megaphon hier ist echt hammergroß. Zwanzig Nummern größer als jedes, das ich vorher in der Hand hatte. Inzwischen sind es fast drei Millionen Zuschauer.

WAS ICH ZU SAGEN HABE

Also beginne ich mit Jan und seinem Team, die ZU-KAR-Videos zu produzieren. Wir planen zunächst zehn Videos, ohne etwas daran zu verdienen. Ich selber bekomme immer noch Unterstützung vom Staat, bis ich hoffentlich im Herbst an der Filmschule studieren kann. Oder, bin ich dann schon in Hollywood? Doch als Jan mich fragt, ob ich auch im Ausland bekannt werden will, ist meine Antwort eindeutig: Deutschland hat mich aufgenommen. Das ist jetzt meine zweite Heimat. Ich kümmere mich jetzt erst mal um Deutschland.

Alle zwei Wochen produzieren wir ein Video. Obwohl es natürlich irre Spaß macht, ist es für uns alle auch ziemliche Knochenarbeit. Wir schreiben, drehen, schneiden, veröffentlichen, dann beantworten wir zwischendurch die Kommentare, stets vor oder nach einem Interview, während in Jans Firma natürlich auch alle Brotjobs am Laufen gehalten werden müssen. Lange kann es so nicht weitergehen, das ist uns klar, aber für einige Monate lassen wir uns darauf ein. Denn wir lernen eine Menge in kürzester Zeit, zum Beispiel, dass man von Interviews alleine nicht leben kann. Zumindest nicht als der Interviewte. Deshalb legen wir nun einen Interviewtag pro Woche fest. Ansonsten machen wir unser eigenes Ding. Denn ich habe mehr zu sagen, als die Journalisten von mir wissen wollen. Flüchtlinge werden nur nach ihrem Leiden, ihren Ängsten, dem Clash of Cultures gefragt. Ein einziges Mal stellte man mir die wirklich intelligente Frage: »Was ist für dich hier eigentlich genauso wie in Syrien?«

Wie erfrischend: mal nicht nur Unterschiede, Kontraste und das zeitungstypische Schwarzweiß ... Da lobe ich mir die farbenfrohe Welt der YouTube-Videos.

Als Erstes folgen wir einem Aufruf einer YouTube-Aktion gegen Hass, YouGeHa, und produzieren natürlich ein Katzenvideo. Immerhin sind Katzen der beliebteste Videoinhalt im Internet – sogar beliebter als Pornos.

In diesem Video werden mir irgendwann Katzenohren aufgesetzt, und dann stehe ich vor einer Tür und jammere: »Jede Katze, wenn sie vor der Tür steht, macht nur MIAU – und schon öffnet jemand die Tür. Wenn ich das mache, kommt keiner und macht auf. Das ist ungerecht!«

Firas, der Typ mit Bart und Katzenohren. Wahrscheinlich werde ich diese Ohren für den Rest meines Lebens nicht mehr los. Sogar das *TIME*-Magazin bildet mich in ihrer Young-Leaders-Reihe später mit Katzenohren ab. Aber immer noch besser als ein geschlagener Esel. Katzen haben immerhin ihren eigenen Kopf. Das dürfen wir auch bei dem Videodreh erleben: Plötzlich ist Kater Howard hinter den Requisiten verschwunden. Dass ich einige Erfahrung mit Katzen habe, wenn auch nur mit syrischen, kommt uns jetzt zugute. In Syrien hatte ich eine eigene Katze, Lucy, die war genauso bunt wie ich, weiß und schwarz und braun durcheinander. Während meiner letzten Haft war sie bei einem Freund untergebracht und bekam dort ihre Jungen. Doch als dann kurz darauf die ersten Bomben fielen, fraß sie jedes Einzelne. Lucy selbst verlor ich, als wenige Tage vor meiner Flucht aus Syrien eine Bombe unser Haus in Damaskus traf. Seit damals habe ich übrigens einen Metallsplitter in der rechten Hand, der bei jedem Flughafendetektor anschlägt, woraufhin die Beamten sich dumm und dusselig suchen.

Erst mal probieren wir, Howard mit Futter zu locken. Im belagerten Homs hätten mich die abgemagerten Katzen gleich mit aufgefressen, wenn ich so ein Leckerli geöffnet hätte: Katzenwürstchen. Mhmm. Aber Howard lebt in Deutschland, und wenn hier jemand keine Existenzsorgen haben muss, dann die deutsche Hauskatze. Howard ignoriert die Bestechungsschmatzies und untersucht lieber irgendwelche Staubflusen hinter den Heizungsrohren. Dabei steht uns dieses Studio nur für wenige Stunden zur Verfügung. Der Studiobesitzer, ein netter Typ, ebenfalls mit einem Rauschebart, hat mich beim Reinkommen erkannt und ist fast umgekippt: »Firas? Der berühmteste Flüchtlings-YouTuber? Ich fasse es nicht. Wie genial ist das denn?« Er schüttelt mir ausgiebig die Hand, will mich unbedingt unterstützen und überlässt uns das Studio umsonst. Manchmal hat es Vorteile, bekannt zu sein.

Allerdings ist Kater Howard völlig unbeeindruckt von dem Flüchtlings-YouTuber, bis wir schließlich den fiesen Körbchentrick anwenden: Wir stellen einen kleinen Strohkorb mit weicher Decke in die Studiomitte, der Kameramann geht auf Start und das Licht an, ich habe den Text parat. Alle Katzen lieben Kartons oder Körbchen. Ich weiß nicht genau, warum, aber Hauptsache, Howard weiß es. Nach fünf Minuten liegt er tatsächlich in dem Strohkorb und lässt sich von mir kraulen. Kamera ab! Howard schnurrt, während ich meine Botschaft verkünde: »Ich habe nix gegen Katzen, aber ...« – im Nu ist der Dreh im Kasten. Ein TV-Team filmt uns dabei, das ist uns egal. Hier haben sie keinen Einfluss, hier können wir unsere eigene Botschaft verbreiten. Und die ist ziemlich simpel: »Wenn man sich anstrengt, kann man alles hassen« – kraulkraulkraul – schnurrschnurrschnurr –, »aber man muss es nicht!« Tiefsinnig blickt Howard in die Kamera.

INTEGRATION IST ZUKAR-SÜSS

Wir produzieren immer weiter, und dann melden sich auch endlich erste Sender, die für einen Auszug aus unseren Videos Lizenzgebühren zahlen wollen. Viel ist es nicht gerade, eher erschreckend wenig, aber immerhin bringt es Publicity. Da Ostern vor der Tür steht, produzieren wir eine lustige Osterfolge. Ein Sender will es für eine Sendung lizensieren. Die kleine ironische Anspielung auf die rechtsgerichtete Partei AfD lässt der Sender allerdings bei der Ausstrahlung weg. Ein lustiger Araber, der die deutschen Ostereier entdeckt, das ist ja okay. Politik lassen wir ihn aber lieber nicht kommentieren. Entsprechend schreibt ein Kommentator bei einem anderen Video:

»Belehren Sie erst mal Ihre eigenen Landsleute bzw. Glaubensbrüder, wie die sich hier zu benehmen haben, gerne auch in körperlicher Ansprache. Und halten Sie sich aus deutscher Politik raus!«

Die Medien wollen gar nicht meine Stimme hören, die wollen nur hören, was sie meinen, das ihre Zuschauer hören wollen. Meine Fans sind da zum Glück anders, und es werden immer mehr, die mich bestärken: »Firas, wir brauchen Dich!« – »Hör bitte nicht auf, was Du machst, verändert so viel!« – »Firas, wo warst Du so lange?«

Und das ist es, was auch Jan beflügelt: Die Leute wollen Firas hören, also hören wir nicht auf.

Für diese Fans haben wir uns etwas ausgedacht: Wir bitten sie, uns ZUKAR-Stückchen zu schicken: Man nehme zwei Zuckerwürfel, wickle sie wie ein Bonbon in ein kleines buntes Papier ein und schreibe außen einen Gruß drauf – fertig ist das ZUKAR-Stückchen. Ein Like im echten Leben. Einige Fans schreiben, dass sie diese süßen Grüße nun auch ihren Freundinnen und Freunden schicken. Wäre das nicht eine nette Tradition? Ich habe so viel von Deutschland bekommen, vielleicht kann ich auch auf diese Weise ein wenig zurückgeben.

Unser Briefkasten jedenfalls ist jeden Tag gut gefüllt mit Paketen voller Schokolade, Postkarten, kleiner Bücher, CDs und natürlich mit Botschaften auf irre vielen ZUKAR-Stückchen.

»Hug the haters.«

»Du bist ein Sonnenstrahl!«

»Wir sind stolz auf Dich.« (Die Botschaft stammt von einer älteren syrischen Frau.)

Ich bin immer wieder gerührt. Auch online engagieren sich die Fans inzwischen: Ich mache zu jedem Video eine arabische Übersetzung, und sie übersetzen dann in andere Sprachen. So gibt es schon französische, englische, persische, niederländische und polnische Untertitel. Es ist phantastisch!

Dann geht das Video aus Clausnitz durch die sozialen Netzwerke: verängstigte Flüchtlinge in einem Bus, umringt von pöbelnden Einwohnern, bis Polizeibeamte einen Jungen im Bus schnappen und unter Gejohle der Umstehenden in das Flüchtlingsheim zerren. Das Internet kocht über vor gegenseitigen Anfeindungen. Uns ist sofort klar: Das wird unser nächstes ZUKAR-Video.

Wir veranstalten einen »Workshop«.

Workshop-Ziel: Flüchtlinge kennenlernen.

Workshop-Teilnehmer: ein paar Rechtsradikale.

Workshop-Aufgabe: ein Flüchtlingsbaby (meinen kleinen Neffen Habibi) berühren.

Aber wo bekommen wir mal eben vier oder fünf Rechtsradikale her? Oder wenigstens Leute, die so aussehen?

Wir starten einen Aufruf auf unseren Online-Seiten - und in weniger als einer Stunde haben wir mehr als zehn Bewerber. Alle wollen sie gerne dabei sein. Das Video könnt ihr euch im Internet anschauen*, was dort aber nicht zu sehen ist: Alle Teilnehmer sind danach in Habibi verknallt. Er ist der Star des Abends. Eigentlich

---

* https://youtu.be/aCE0hihEuil

fürchtet sich mein einjähriger Neffe schon vor meinem Bart – darum bin ich gar nicht so viel im Zimmer –, aber als plötzlich so viele große Kerle, einige mit dicken Muskeln und Tattoos, um ihn versammelt sind, bekommt er es nicht etwa mit der Angst zu tun, wie ich es vielleicht täte, wenn mich fünf Typen mit Sonnenbrille und Bomberjacke umringen würden, nein: Der Kleine strahlt über das ganze Gesicht und genießt die ungeteilte Aufmerksamkeit der Anwesenden in vollen Zügen – und beweist uns mal wieder: Die Angst vor Fremden lernen wir erst später. Wenn wir klein sind, wollen wir nur Schokoladeneis und Freunde. Aber wollen Erwachsene das nicht im Grunde auch?

DEUTSCHES BROT

Mich erreichen erste Anfragen, ob ich nicht an dieser oder jener politischen Veranstaltung teilnehmen möchte. Flüchtlingsdebatte. Expertengespräch. Politischer Frühschoppen. Konferenz. Man hält mich offenbar für einen Experten in Sachen Flüchtlingspolitik im Lande. Aber ist jede alleinerziehende Mutter automatisch Fachreferentin in Sachen Familienpolitik? Ich habe mich eigentlich nie besonders für Politik interessiert. Wenn man eine Diktatur bekämpft, hat das nichts mit Politik zu tun. Das geht viel tiefer, denn es geht um Freiheit. Ob nun Spartakus im alten Rom, Moses, der aus Ägypten auszieht, beim Prager Frühling, den Montagsdemos vor der Wende in Deutschland oder beim Arabischen Frühling und der Syrischen Revolution. Um Steuern geht es dabei nie. Es geht immer um Ketten.

Die meisten Anfragen lehne ich dankend ab, sogar ein Diskussionsforum mit dem Bundespräsidenten, denn ich wüsste einfach nicht, was ich dort soll. Ich bin jetzt auf YouTube bekannt als Komiker mit einer gewissen Narrenfreiheit. Mit Hartz-IV-Bezug und vielen Narben. Was hab ich mit deutschen Politikern zu tun? Aber es gibt auch die eine oder andere Einladung, die mich reizt, und so begebe ich mich auf die re.publika-Bühne, wo man sich 2016 unter anderem mit Flüchtlingen beschäftigt und mir anbietet, eine Rede zu halten, deren Inhalt ich selber bestimmen kann. Das klingt doch mal gut, ist ja fast wie bei einem eigenen Video. Hier werde ich aber ganz sicher als Vertreter der Geflüchteten wahrgenommen, ob ich selbst das nun so sehe oder nicht. Mein Thema soll deshalb die Freiheit sein, allerdings nicht nur meine eigene. Und so frage ich via Facebook bei meinen deutschen Fans und arabischen Facebook-Freunden in Deutschland nach:

»Welche drei Dinge findet ihr hier in Deutschland am besten?«

Und du?
1)
2)
3)
Du kannst mir natürlich auch schreiben: alshater@gmx.de.

Auf meine Umfrage erhielt ich Hunderte Antworten. Wie zu erwarten war, nennen fast alle Deutschen FREIHEIT an erster Stelle. Und am zweithäufigsten wurde DEUTSCHES BROT genannt. Daheim, wo das Brot so ist, wie wir es kennen, ist es eben doch am schönsten. Geht mir auch so. Solange man ein Daheim hat und zu seinem Brot zurückkehren kann.

Bei meinen Leidensgenossen kommt als absolute Nummer eins der beliebtesten Dinge in Deutschland ebenfalls FREIHEIT.

Wer hätte das gedacht: Wir Neuen und die Altbürger lieben dasselbe Deutschland aus demselben Grund. Allerdings steht bei meinen arabischen Freunden nicht das deutsche Brot an zweiter Stelle, denn gleich nach Freiheit kommt DASS HIER KEIN KRIEG HERRSCHT.

Als ich das in meiner Rede sage, wird es ziemlich still im Saal. Ja, wir sind nicht freiwillig hier. Viele von uns hatten nur die Wahl: Hier sein oder tot sein.

Ich erzähle von meinen eigenen Erfahrungen, von den Sorgen und Nöten, die viele Geflüchtete in Deutschland haben. Und anschließend treffe ich tatsächlich noch auf ein paar Politiker, die wirklich was zu sagen und ein offenes Ohr für diese Sorgen zu haben scheinen. Dass Flüchtlinge hier erst einmal Menschen zweiter Klasse sind. Dass Flüchtlingsheime Integration verhindern. Dass die Realität vieler Flüchtlinge in Deutschland nicht mit dem Grundgesetz übereinstimmt – und dass manche Dinge eben nicht warten können. Die Politiker drücken ihr Verständnis aus. Und es soll besser werden. Das klingt für mich schon sehr nach Politik. So etwas habe ich schon während der Revolutionszeit gehört: Alle westlichen Staatsmänner und -frauen drückten ihre Besorgnis aus und dass man alles tun werde ...

Ein Politiker auf dieser Veranstaltung verkündet allen Ernstes, dass er Zwangsarbeit als Selbstverständlichkeit ansieht. Damit sind natürlich die gemeinnützigen Arbeiten gemeint, die Flüchtlinge machen sollen, solange sie Leistungen vom Staat beziehen. Offiziell ohne Aufseher mit Peitsche, aber wer nicht arbeitet, bekommt eben auch keine Leistungen mehr oder so wenig, dass ein menschenwürdiges Leben nicht möglich ist. Da die Flüchtlinge ja etwas von Deutschland erhalten, so der Politiker weiter, sei es nur gerechtfertigt, dass Deutschland auch etwas von ihnen verlange. Klingt erst einmal logisch, fast wie ein sauberes Geschäft, geradezu eine Win-win-Situation. Nach kurzem Applaus tritt dieser politische Kopf von der Bühne ab, ohne dass sein Auftritt größere Diskussionen im Publikum auslöst. Vielleicht verstehe ich Politik einfach nicht, aber ich weiß, dass alle Flüchtlinge arbeiten wollen. Am staatlichen Tropf will keiner von ihnen hängen, genauso wenig, wie das Arbeitslose, Kranke und Alte wollen. Und wir Geflüchteten sind hier auch keine Gäste. Ein Gast wird eingeladen. Ich musste hier um Asyl bitten, um einen Unterschlupf, weil man mich zu Hause umbringen will. Ich stand auf keiner Gästeliste. Und ich will diesem Land gerne das geben, was jeder Bürger ihm gibt: Steuern. Gesetzestreue. Auch ehrenamtliches Engagement.

SCHWARZER HUMOR UND ROTES BLUT

Ich liebe es, Menschen mit meinem Humor zum Lachen zu bringen. Egal, ob Deutsche, Araber oder Afrikaner – alle lachen in derselben Sprache. Aber nicht unbedingt über dieselben Dinge. Kennt ihr den: »Warum verlieren die Saudi-Araber immer beim Schach? Weil sie ihre Dame nicht überall hingehen lassen!« Ich habe den Witz gar nicht verstanden. Denn in der arabischen Version von

Schach ist die Dame ein Minister. Auch über Blondinenwitze kann ich nicht besonders lachen, weil Blondinen bei uns nicht als dumm gelten. Sie gelten eher als Ausländerinnen. Aber natürlich haben wir Araber auch Witze, die hier genauso funktionieren – zum Beispiel: Ein Pferd kommt in ein Café in Beirut. Sagt der Barkeeper: »Warum so 'n langes Gesicht?« (Wer darüber nicht lacht, muss ein Pferd sein.)

Aber nicht nur die Witzinhalte sind zum Teil verschieden, auch die Art des Humors ist nicht immer gleich. In Deutschland habe ich jedenfalls häufiger als je zuvor sarkastischen Humor erlebt. Im diktatorischen Syrien hingegen ist schwarzer Humor sehr verbreitet, auch Galgenhumor. Und während des Arabischen Frühlings sind Comedyshows und Satirebilder geradezu explodiert – jeder hat seinem Unmut Luft gemacht, und bei all dem Blut, das geflossen war, wurde daran auch in den Witzen nicht gespart. Sarkasmus wie in Deutschland hingegen, diese bissigen Bemerkungen über die jeweils anderen, wie sie in deutschen Satiresendungen sehr verbreitet sind, ist für mich ungewohnt und liegt mir überhaupt nicht. Es hat so etwas Unversöhnliches, wenn man über andere herzieht. Ich bevorzuge es, *mit* den Leuten zu lachen statt *über* sie. Darum finde ich auch den Titel, den mir das *TIME*-Magazin gegeben hat, richtig klasse, wenn auch ein klitzekleines bisschen übertrieben: »Clown Prince of Migrants«.

Aber ich mache auch ernste Videos, etwa nach dem Terroranschlag in Brüssel im März 2016. Bei anderen Anlässen gibt es gar kein Video. Als Aleppo schwer bombardiert wird, die Welt es jedoch kaum wahrzunehmen scheint, bitte ich meine Fans darum, ihr Facebook-Kanal-bild blutrot zu färben. Viele folgen dem Aufruf, was mich froh macht: Es gibt eben auch jene Deutsche, die nicht gegen Flüchtlinge hetzen. Für manche Araber ist es fast unerträglich, in einem Land zu leben, in dem das eigene Leiden und das der eigenen Familien so unwichtig zu sein scheint. Wenn der Bär im Zoo stirbt, ist es Tagesthema. Wenn die Heimat, Vergangenheit und Zukunft Tausender Menschen zerbombt wird, wenn wieder Hunderte Menschen (!) sterben müssen, taucht es selten in den deutschen Nachrichten auf. Aus unserer Sicht kommt es geradezu zynisch rüber, wie die deutsche Facebook-Community ihre Farben bei jedem der vergleichbar sehr seltenen Terroranschläge in Europa ändert, während Anschläge und Bombardements in arabischen Ländern an der Tagesordnung sind. Was ist an einem europäischen toten Kind anders als an einem syrischen?

Als Aleppo bombardiert wird, sind denn auch nicht die vielen Toten das Thema Nummer eins, die Frage, ob nun russische Kampfjets dabei waren oder amerikanische. Umso wirkungsvoller war das Zeichen der Solidarität der deutschen Fans, die ihre Facebook-Seiten rot einfärbten. Für viele meiner arabischen und syrischen Flüchtlingsgenossen war es aber vor allem das Signal: Ihr seid nicht unbedeutend.

Ich werde es den vielen Deutschen, die sich dazu bekannt haben, niemals vergessen. Und ich bin sicher, viele andere Syrer und Araber auch nicht. Die Toten in Aleppo macht es nicht wieder lebendig. Die Lebenden in Deutschland aber hat es sehr berührt.

VII
SHUFI MAFI?*

---

* Shufi Mafi (arabisch), auf Deutsch: Was geht und was geht nicht?

SHUFI MAFI DEUTSCHLAND?

Es regnet in Strömen. Seit drei Jahren versuche ich nun schon, mich an den Berliner Sommer zu gewöhnen. Ohne großen Erfolg. Bei diesem Wetter bekomme ich wirklich Heimweh nach Damaskus. Ich plädiere für ein entsprechendes Training im Integrationskurs. Wie wär's mit: »Leben ohne Sonnenlicht«? Wisst ihr, woran man in Berlin erkennt, dass Sommer ist? Ganz einfach: Der Regen ist ein bisschen wärmer. Aber auch die Berliner selbst schimpfen gerne und viel über das Wetter, an der Supermarktkasse, beim Fahrkartenautomaten, in der S-Bahn, auf der Straße, am Telefon: »Na, regnet es bei euch auch? Was, ihr habt Sonne? Schämt euch, ihr da in Bayern!« Es ist Scheißwetter. Scheißkälte. Scheißhitze. Und alle sind endlich mal einer Meinung. Aber bestimmt wird irgendjemand bald auch diesen Hort der Eintracht mit einem Gehirnpups einstänkern: »Scheißwetter ... sind bestimmt wieder diese Flüchtlinge dran schuld!«

Mein Kcamerateam und ich stapfen durch den Regen zu einer Werkstatt für Menschen mit Behinderungen. Wir sind eingeladen worden, und zwar von den Bewohnern selbst. Sie wollen unbedingt mehr wissen über die Flüchtlinge, und zwar nicht nur aus den Medien oder von Facebook. Sie wollen Firas Alshater kennenlernen und aus erster Hand wissen, was mich bewegt. Viele dieser Menschen haben mit ähnlichen Problemen zu kämpfen wie die Geflüchteten: Unverständnis, Entmündigung, Bürokratiechaos, Ablehnung bis hin zu Anfeindungen. Wer

Trisomie hat, der weiß genauso gut wie ein Flüchtling im Wohnheim, wie es sich anfühlt, ein Mensch zweiter Klasse zu sein. Und wie unangenehm es ist, immer nur der oder die »Behinderte« zu sein statt einfach man selber.

Die jungen Frauen und Männer haben sich wochenlang auf den Besuch gefreut und zeigen mir ihr sehr großes Mitgefühl für den Verlust meiner Heimat, von dem ich ihnen berichte. Ich bemerke, wie angetan ich von diesen Menschen bin. Aber warum eigentlich? Ich glaube, es liegt nicht zuletzt daran, dass sie kein einziges Mal das Wetter erwähnt haben, obwohl es draußen schifft wie bei der Sintflut. Kein Small Talk. Nur Big Talk. Sie wollen mich wirklich kennenlernen. Hier gibt es überhaupt keine Vorbehalte. Es ist, als wäre ich kein Flüchtling, sie keine Menschen mit Behinderung.

Sie erzählen mir von einem Besuch in einer Erstaufnahmeeinrichtung, um sich selber ein Bild davon zu machen, wie Flüchtlinge leben. In den Nachrichten hatten sie von Prügeleien in den Heimen gelesen; das hatte immer nach völlig entfesselten Barbaren geklungen, die ihre Gewaltkultur pflegen. Was mag dann erst passieren, wenn die da rauskommen? Meine Gastgeber waren durch diese Berichte sehr verunsichert. Doch als sie schließlich in einem Heim standen, schockierte sie die Situation der Flüchtlinge dort. Sie standen mitten in einer Halle für über hundert Menschen, alle dicht an dicht gelagert. Um 22 Uhr werde das Licht ausgemacht, erfuhren sie, ob man schlafen will oder nicht. Wie im Knast. »So darf man doch nicht mit Erwachsenen umgehen, das ist doch eine Schande«, empören sie sich. Ich kann mir gut vorstellen, wie jeder von ihnen schon für seine Selbständigkeit kämpfen musste.

Oft werde ich gefragt, ob ich denke, dass die Integration der neuen Flüchtlinge klappen wird. Ja, das denke ich. Auf jeden Fall. Aber sorry, was genau ist denn eigentlich diese Integration, über die alle reden? Dass die Männer ihre Frauen nicht mehr schlagen dürfen, so wie es auch kein deutscher Mann tut? Dass wir uns an die Behandlung auf dem Amt gewöhnen, die jeder deutsche Hartz-IV-Empfänger als das Highlight seiner gemütlichen sozialen Hängematte empfindet? Dass wir als Zeichen deutscher Sportkultur nach jedem Fußballländerspiel eine Prügelei anfangen, weil die da hinten andere Käppchen und Schals tragen?

Während meines Besuchs hier in der Werkstatt wird mir klar, wie wenig ich selbst über manche Dinge in meiner Heimat weiß, weil sie für mich keine Bedeutung hatten. Ich weiß zum Beispiel nichts über die Situation von behinderten Menschen in meiner Heimat, wenn es um die Fortbewegung geht. Bei uns gibt es auch Rollstühle, natürlich, aber behindertengerechte Zugänge, spezielle Transportfahrzeuge oder angepasste Toiletten? Ich habe zumindest noch nie welche gesehen. Bei uns kümmern sich die Verwandten. Wer behindert ist, wird eben von der Familie betreut und vermutlich auch von A nach B gebracht. Aber ich habe auch noch nie darüber nachgedacht. Ich weiß nur, dass normalerweise keine Familie einen Onkel oder eine Tante mit einer Behinderung einfach so ausschließen würde.

Geht es den Deutschen mit Flüchtlingen vielleicht wie mir mit Behinderten? Wer von ihnen kennt wirklich welche? Persönlich? Wer weiß, was sie denken, was sie fühlen, welche Träume sie haben? Sie tauchen nur permanent in den Medien auf. Wenn man eine Talkshow einschaltet: Flüchtlinge! Wenn man Nachrichten guckt: Flüchtlinge! Wenn man die Zeitung aufschlägt: Flüchtlinge!

Und plötzlich haben einige Leute Angst, auf die Stra-ße zu gehen. Dabei sind da gar keine Flüchtlinge. Wie vielen bist du heute schon begegnet? Und woran hast du erkannt, dass es Flüchtlinge sind?

Diese obskure Angst hat mich selber erwischt: Als ich mein Umarmungsexperiment auf dem Alexanderplatz begann, spukte in meinem Kopf immer die Frage herum: Werde ich jetzt gleich attackiert, beschimpft, mit einem Apfel beworfen? Überall hatte ich schließlich von den Angriffen auf Flüchtlingsheime gelesen. Von den Brand-anschlägen und Überfällen.

Am größten ist die Angst, wenn man nichts über die vermeintliche Bedrohung weiß. Ich kenne Kinder, die haben Angst vor Spinnen. Aber sie haben noch viel mehr Angst vor ihnen, wenn ich ihnen sage: »Hier im Zimmer ist irgendwo eine dicke Spinne.« Das ist die Methode aller Populisten, um die Wahl zu gewinnen. Gerade weil die Mehrheit der Deutschen so wenig Kontakt zu Flücht-lingen hat, eignen sich diese wunderbar als Bedrohung für alles und jeden.

Ich nenne das immer »der Kleiderständer«: Da kann man alles drüberhängen, was einem gerade im Weg ist. Könnte ich mir für meine Wohnung eigentlich auch mal anschaffen ... Jedes Volk hat einen, jeder Staat und auch jeder für sich persönlich. Im Augenblick sind es in Deutschland die Flüchtlinge, in den USA die Muslime, in der westlichen Welt der IS. Für die arabische Welt wie-derum sind es die USA und Israel, also immer möglichst etwas oder jemand, den man nicht so genau kennt, der aber eindeutig erkennbar ist.

Nichts anderes hat auch Diktator Assad eingesetzt, um den Menschen in Syrien Angst zu machen. Den Christen hat er von den muslimischen Fanatikern erzählt, die nur darauf warten würden, sie umzubringen. Den Schiiten hat er von den feindlich gesinnten Sunniten erzählt und dem Westen, dass nur er all die unbekannten Al-Qaida-Terroristen im Zaum halten könne. Und das syrische Fernsehen lieferte uns die passenden Bilder dazu frei Haus.

Wenn ich heute vor etwas Angst habe, dann davor, dass ich noch einmal in einem syrischen Regierungskerker lande und nicht mehr rauskomme. Aber vor anderen Moslems oder Christen oder Spinnen habe ich immer noch keine Angst.

»Müssen Frauen jetzt Angst haben?«*

»Ich sitze hier im Interview – und der Reporter gibt kein' Ruh!« Das, liebe Freunde, war mein erstes deutsches Gedicht. Weltpremiere. Tatsächlich geht es nach dem Erfolg der ZUKAR-Videos unvermindert weiter, alle Medien sind höchst interessiert daran, endlich mal mit einem waschechten Flüchtling zu sprechen, wollen von mir wissen, wie ich über Frauen denke, wie ich über Religion denke, über die Deutschen, die Terroristen, den Kulturschock, die Zwangsheirat, Karneval, die Silvesternacht in Köln. Manchmal ist es echt heftig. Als müsste ich mich für alles verantworten, was je ein arabischer Mensch Schlimmes getan hat. Besonders, wenn es um Frauen und Sex geht. Lieber Reporter, wie stehst du denn zu den Kriegen der USA im Irak und in Afghanistan? Was denkst du über die Ausbeutung der Textilarbeiterinnen in Bangladesch und der Minenarbeiter im Kon-

---

* Aus ZUKAR-Stückchen Nummer 6.

go? Aber ist es denn seine Schuld? Warum haben es die Leute offenbar niemals satt, sich mit Vorverurteilungen selbst Angst einzujagen und vom Rest der Welt abzuschotten?

Ein Troll schrieb mir vor kurzem auf Facebook: »Erklär mal deinen Muslimbrüdern, wie man hier in Deutschland mit Frauen umzugehen hat!« Nun, ich könnte ihnen erklären, dass man Frauen in Deutschland nicht so viele Komplimente macht, scheint hier nicht üblich zu sein. Dass man hier nicht aufsteht, wenn eine Frau den Bus betritt. Dass man ihnen nicht hilft, ihren Koffer die U-Bahn-Treppe hinaufzutragen. Aber warum soll ich das allen anderen Flüchtlingen erklären? Oder allen anderen Moslems? Die christlichen Araber in Damaskus werden ihre Beziehungen sicherlich nicht anders geführt haben als ihre muslimischen Nachbarn. Erklärt dieser Troll denn auch allen Deutschen, wie sie sich Flüchtlingen gegenüber verhalten sollen? »Erklär mal deinen deutschen Dumpfbacken, dass sie gefälligst keine Flüchtlingsheime anzünden dürfen!« Als wäre er dafür verantwortlich. So ein Quatsch. Doch genauso klingt es, wenn mich jemand fragt: »Sie als Araber, wie stehen Sie eigentlich zu Frauen?« Auslöser für solche Fragen waren die Vorfälle in Köln in der Silvesternacht 2015/16. Frauen sind von einer kriminellen Meute nordafrikanischer Migranten beklaut und sexuell belästigt worden. Nun kam die Frage in fast jedem Interview und Kommentar, aber ich habe nie direkt geantwortet. Wie ich über Liebe und Sex denke, über Heirat, die Stellung von Frauen und Männern, ist völlig nebensächlich. Vertrete ich eine konservativ-islamische Haltung, dann bin ich typischer Vertreter der Macho-Kultur arabischer Prägung. Vertrete ich einen westlichen Ansatz, dann bin ich die seltene positive Ausnahme. Also halte ich lieber den Mund.

So ziemlich alle Stimmen der arabischen oder muslimischen Gemeinschaften hatten sich sofort distanziert, als die Nachrichten über Köln bekannt wurden. Viele haben Aktionen des Protestes gestartet. Es gab Blumengeschenke, es gab Videos, Hunderte von Stellungnahmen. Aber wen hat das interessiert?

Viele deutsche Medienvertreter und Politiker glauben wirklich, man könnte solche Aufregerthemen ausdiskutieren, doch worauf es hinausläuft, ist immer so eine Art Pistolenduell. Jeder sammelt sich Argumente und Positionen, liest schlaue Bücher, erfindet Begriffe wie »Flüchtlingsschwemme« – und dann wird geredet, geredet, geredet über Pro und Kontra. Peng. Peng. Peng. Sachliche Argumente gegen ominöse Ängste. Wer behauptet, Araber schlagen ihre Frauen, hat keine Statistik dazu gelesen, sondern zu viele Reportagen geguckt. Natürlich werden in Algerien und Marokko, in Ägypten und Saudi-Arabien Frauen nicht so gleichwertig behandelt, wie das in Deutschland der Fall ist. Das gilt leider für viele Länder. Schaut zum Beispiel nach Indien.

Und wo nicht mal die eigene Polizei die Zivilgesellschaft schützt, sondern nur das jeweilige Regime, oder wo sie komplett korrupt ist, da regiert eben die Barbarei. Blieben denn alle deutschen Männer brav und respektvoll gegenüber Frauen, wenn sie keine Strafverfolgung befürchten müssten?

Und natürlich können syrische junge Männer hier in Deutschland eine »westliche« Beziehung führen, mit einer Freundin auf Augenhöhe, auch wenn die eigene Mutter noch ganz anders gelebt hat und sie es bisher nicht gewohnt waren, vor der Hochzeit eine lange Beziehungsphase zu haben. Aber sie können es. Ich kann es schließlich auch. Und ihr glaubt mir doch, oder? Ach so, stimmt, ich bin ja die seltene positive Ausnahme, das weiße Schaf unter lauter schwarzen.

Merkwürdigerweise fragt übrigens niemand, ob nicht auch arabische Frauen eventuell Probleme mit der deutschen Beziehungskultur haben. Immerhin sind sie gewohnt, mit Gold beschenkt zu werden, der oft besten Art der Aussteuer. Hier schenkt Mann, wenn überhaupt, Blumen. Und arabische Frauen rechnen mit einer zeitnahen Hochzeit, was vielen deutschen Männern zu schnell gehen dürfte. Hat ein arabisches junges Mädchen mit einem deutschen Abiturienten, der erst mal sein Leben genießen will, bevor er übers Heiraten nachdenkt, keine Probleme?

Mit fadenscheinigen Diskussionen und Pistolenduellen kommen wir nicht weiter. Nach jeder Talkshow finde ich im Internet Beiträge von Zuschauern, bei denen von Diskussion im Sinne von Meinungsbildung nicht mehr die Rede sein kann. Was Menschen da von sich geben, ist einfach nur emotional aufgeladener Müll.

Gegen heiße Emotionen helfen keine kalten Argumente.

Darum habe ich mich nicht auf Diskussionen eingelassen. Ich erzähle lieber Geschichten. So entstand zum Beispiel ein Märchenvideo mit einem typisch westlichen Prinzen und einer ebenso typisch westlichen Prinzessin, die aus den Klauen des bösen Drachen gerettet werden muss. So geht das doch in den Märchenbüchern hierzulande: Drache tot, Problem gelöst, Prinzessin geheiratet. Wir haben ein solches Märchen ausgegraben:

»The Wife of Bath's Tale«* ist eine englische Erzählung aus dem 14. Jahrhundert, in der eine Frau von einem Edelmann vergewaltigt wird. König Arthur verurteilt ihn daraufhin zum Tode, aber die Königin lässt Gnade walten und gibt dem Mann eine Chance: Ein Jahr lang darf er versuchen herauszufinden, was Frauen wirklich wollen. Der Edelmann sucht verzweifelt, aber ohne Erfolg. Schließlich begegnet er einem Hutzelweib, das ihm helfen will. Aber dafür muss er sie ehelichen. Der Todgeweihte stimmt zu, und die Alte erklärt am Hofe Arthurs: »Alle Frauen wollen selber bestimmen über sich und ihre Angelegenheiten und vor allem darüber, wer ihr Ehemann wird!« Die Damen des Hofes nicken. Der Edelmann ist gerettet. Nun muss er Wort halten. So verbringt er auch die Hochzeitsnacht mit dem schrumpeligen Weiblein, als sie aber seine Trauermiene sieht, bietet sie ihm an, sich in eine schöne Frau zu verwandeln, wenn er das möchte. Der Edelmann hat jedoch seine Lektion gelernt und sagt: »Entscheide du!« Daraufhin verwandelt sich die alte Frau in eine junge hübsche Prinzessin. Und wenn sie nicht gestorben sind ...

In unserer Videoversion haben wir das Ganze noch ein wenig aufgepeppt: Was wäre ein Märchen ohne Drachen? Allerdings bekommt er von uns eine Sonnenbrille und eine coole Frisur. Und es wird niemand vergewaltigt. Wir sind ja nicht im England des 14. Jahrhunderts.

Unter diesem Frauenvideo tummeln sich nun die Kommentatoren; erstaunlicherweise gab es aber weder Häme noch Hass. Höchstens in homöopathischen Dosen. Vielmehr tauschen sich die Menschen darüber aus, wie es in ihren eigenen Beziehungen läuft. Welche

---

* Von Geoffrey Chaucer, in: The Canterbury Tales.

Erfahrungen sie miteinander gemacht haben. Ich habe wirklich jeden Kommentar gelesen, so spannend war das. Frauen, die zugaben, ihre Männer manchmal doch ganz schön unter der Fuchtel zu haben. Männer, die von ihren Wünschen sprachen, ihren Ängsten. Einer zitierte Clint Eastwood: »Ich glaube, eine Frau will von einem Mann dasselbe, was ein Mann von einer Frau will: Respekt!«

Das Wort taucht in den Kommentaren dauernd auf: Respekt.

Besonders beeindruckend aber finde ich, wie respektvoll alle miteinander umgehen – es wird nicht beleidigt, es gibt nicht diesen unsinnigen Schlagabtausch mit vergifteten Argumenten. Und so schreibt auch jemand: »Toll, wie gelassen man hier über Politik reden kann.« Und ein anderer: »Diese Gelassenheit wünschen sich ganz viele wieder zurück!«

Integration auf Arabisch

Wie Integration klappen kann? Dazu möchte ich eine Geschichte von Flüchtlingen in Syrien erzählen. 2003 machten die USA-Streitkräfte den Irak platt. Alle staatlichen Institutionen des Landes hörten auf zu existieren, das Chaos brach aus. Seitdem sind zwei Millionen Iraker nach Syrien geflohen, manche sagen auch sechs Millionen, wir wissen es nicht genau. Das wäre so, als kämen 10 bis 20 Millionen Flüchtlinge nach Deutschland. Die Lebensmittelpreise explodierten. Tomaten waren plötzlich Luxus. Denn die Iraker waren nicht arm; und die syrischen Gemüsehändler wussten das für sich auszunutzen. Hinzu kam, dass die Kultur der Iraker eine andere war, auch wenn es aus deutscher Sicht so aussehen mag, als würden alle Araber in einem Land wohnen, ebenso wie ja alle Afrikaner in einem Land wohnen. Tatsächlich aber sind Iraker für uns Syrer Fremde. Vielleicht so fremd wie ein Italiener für einen Finnen und umgekehrt. Ich zum Beispiel habe mich oft über die laute Musik geärgert. Ständig drehten die Iraker den Lautstärkeregler ihres Autoradios bis zum Anschlag. Und dass sie Essen einfach wegwarfen, war für uns Syrer total neu. Die syrischen Kaufleute aber witterten ein Bombengeschäft – die Mieten zum Beispiel hörten gar nicht mehr auf zu steigen. Stellt euch mal vor, hier würde *eine* Schrippe plötzlich 10 Euro kosten – und zwar wirklich als Folge des Flüchtlingsstromes ... So ungefähr war es bei uns. Doch wir waren nicht auf die Iraker zornig, die waren schließlich nicht freiwillig hier, zornig waren wir nur auf die Geschäftsleute. Die hatten sich entschieden, ihre eigenen Landsleute abzuschreiben, um mit den wohlhabenden Irakern das schnelle syrische Pfund zu machen. Es wurde jedoch kein öffentlicher Aufreger, denn wir waren ja keine Demokratie. Kein Sender berichtete darüber, und Parteien, die Flüchtlinge als Wahlkampfthema missbrauchen ... Fehlanzeige. Auch das Internet, die Spielwiese für Hater und Trolle, hatte seinen Siegeszug damals noch nicht angetreten beziehungsweise wurde vom Regime gebremst, wo es nur ging.

Die Jahre vergingen – und die Menschen passten sich aneinander an. Ganz ohne Integrationskurse. Sie arbeiteten gemeinsam, sie heirateten, sie kauften ein, die Preise sanken wieder, und bald wusste ich nicht mehr, wer unter meinen Freunden eigentlich Iraker und wer Syrer war. Es wurde einfach egal. Es brauchte einfach etwas Zeit.

»Jaaa, die waren sich trotzdem kulturell viel näher,

die Syrer und die Iraker. Da war die Integration quasi ein Klacks.« Stimmt: Der Irak war auch eine Diktatur. Menschenrechte gab es weder hier noch dort. War sicher kinderleicht, sich anzupassen.

Ein anderes Beispiel: Das kleine Emirat Dubai mit dem vielen Öl am Persischen Golf und einem Ausländeranteil von fast 90 Prozent. In diesem Jahr hat dort ein Mädchen aus Syrien das beste Abitur des Landes gemacht, gefolgt von zwanzig anderen Ausländern. Es ist überhaupt kein Problem. Fast jeder auf Dubais Straßen ist ein Ausländer. Zwar ist der Islam Staatsreligion, aber es gibt dort genauso einen katholischen Pfarrer, einen Hindu- und einen Sikh-Tempel. Es ist nicht strafbar, eine andere Religion zu haben oder eine andere Kultur. Und dass die Amtssprache Arabisch ist, hält die Menschen nicht davon ab, im Alltag auch englisch zu sprechen. Dubai ist so multikulti wie Kreuzberg hoch 10.

Dass in Dubai die Sharia herrscht, wenn auch nicht so ausgeprägt wie in Saudi-Arabien, ist schlicht von gestern und völlig aus der Zeit gefallen. Aber was Multikulti anbelangt, liegen sie ebenso an der Spitze wie beim weltweiten Wolkenkratzerwettbauen.

Die Begriffe Menschenrechte und Gleichheit kannte ich schon, bevor ich nach Deutschland kam. Obwohl ich in einer Diktatur aufgewachsen bin. Oder gerade deshalb? Das Wort Integration hingegen habe ich erst in Deutschland gelernt. Ich hatte es bis dahin noch nie gehört und hatte auch keine Ahnung, was dieses Wort bedeuten sollte und wozu es gut war. Vielleicht ist die deutsche Kultur ja so kompliziert wie die deutsche Bürokratie, weshalb man einen extra Kurs braucht, um sie zu verstehen ... Inzwischen hat mein Deutsch ein gutes Niveau erreicht, aber noch immer kapiere ich keine drei Sätze eines Behördenbriefs, und was Integration sein soll, habe ich auch nicht wirklich begriffen. Darum glaube ich:

Wenn wir eines Tages nicht mehr über Integration reden, dann hat sie funktioniert.

Pinguine und die Flucht nach vorn

In der Zeitung steht, die Flüchtlingskrise sei vorbei. Ich denke auch, dass Deutschland das Schlimmste hinter sich hat. Oder außen vor gelassen hat. Je nachdem, von welcher Seite des Mittelmeeres aus man die Dinge betrachtet. Doch 2015 sind hier viele Neuankömmlinge gelandet, wenn auch keine »20 Millionen«*, sondern nur knapp 1,5 Millionen. Und jetzt stellt sich die Frage: Shufi Mafi - was geht und was geht nicht mit diesen Glückspilzen, die in Deutschland angekommen sind? Was soll man jetzt tun? Mein Vorschlag: Nichts!

In Deutschland gibt es nämlich etwas, worum zig Länder, selbst die »freie« USA, die Deutschen beneiden: eine Solidargemeinschaft. In Syrien gibt es nicht mal das Wort ... Ganz anders sieht es in der Antarktis aus: Dort, am südlichsten Zipfel der Erdkugel, liegt ein eisiger Ort, der so weit vom Meer entfernt ist, dass kein Raubtier jemals dorthin gelangen kann. Deshalb ziehen die Pinguine jedes Jahr genau an diesen Platz, um die vielleicht heißeste Party südlich von Kapstadt zu feiern: Sie haben eine Woche lang Sex. Anschließend legen sie ihre Eier, ganz ungestört und in Sicherheit. Und dann wird es klir-

---

* Siehe Seite 216.

rend kalt. Es kommen Stürme mit diesen fiesen Eissplittern im Wind. Es ist so kalt, dass jeder einzelne Pinguin sehr bald erfrieren würde, aber sie stellen sich zusammen im Kreis auf, den Rücken nach außen, und wärmen sich. Der größte Gruppenkuschel, den ich kenne. Drinnen schön warm, und nur am äußersten Rand fegt der Blizzard die Eissplitter vorbei. Pech für die, die außen stehen? Von wegen: Da wird sich nämlich schön regelmäßig abgewechselt, so dass immer nur wenige kurz bibbern, bevor sie von den anderen wieder hereingeholt und warm gerubbelt werden. Im Prinzip so wie bei den Krankenkassen in Deutschland. Nur mit etwas weniger Sex. Aber es funktioniert: Einer wird krank – und alle zahlen gemeinsam, damit er wieder gesund wird und für einen anderen Kranken zahlen kann. Das ist so dermaßen simpel und einleuchtend – wer braucht da noch einen Integrationskurs? Zumal jeder in der arabischen Welt weiß, wie hervorragend die Solidargemeinschaft Familie funktioniert. Alle benehmen sich einfach wie in einer großen Familie, auch den Onkels und Tanten gegenüber, die sie noch nie gesehen haben. Eine Familie von 80 Millionen Onkels und Tanten, entfernten Cousins und Cousinen.

Solidargemeinschaft ist eine ebenso gute Idee wie eine Polizei, die nur Gesetzen gehorcht statt einem Regierungschef. Ebenso gut wie die Meinungsfreiheit und der Schutz Andersdenkender und barrierefreie U-Bahnhöfe. Glaubt jemand ernsthaft, ein Flüchtling oberhalb der Debilitätsgrenze wäre nicht in der Lage, die Vorteile einer freien Gesellschaft zu sehen, ohne einen Kurs belegt zu haben? – Immerhin hat er gerade Asyl wegen politischer Verfolgung beantragt ... Glaubt jemand ernsthaft, dass ein Mensch, der vor dem Krieg in ein friedliches Land geflüchtet ist, nicht alles tun wird, um diesen kostbaren Frieden zu erhalten? Oder dass ein – oh Schreck! – »Wirtschaftsflüchtling«, also jemand, der vor dem Verhungern weggelaufen ist, nichts sehnlicher tun wird, als zu arbeiten, um sich seine Brötchen zu verdienen?

Und, liebe Pinguine in Deutschland, glaubt einer von euch ernsthaft, dass ein neu hinzukommender Pinguin den Solidargemeinschaftskreis kleiner und dadurch schwächer macht? Was für eine Mathematik sollte das denn sein? Also ich rechne mit arabischen Zahlen, ich dachte, die Deutschen auch ... Und danach ist eins und eins doch zwei, oder? Und manchmal sogar mehr.

Wenn ich im Flüchtlingsheim Plakate sehe, die mir erklären, dass man rote Ampeln und Verkehrsregeln beachten muss, dass man seine Frau zum Arzt schicken soll, wenn sie krank ist, und so weiter und so weiter, dann möchte ich am liebsten ein Plakat draußen anbringen, auf dem steht: *Steuern muss man bezahlen!*

Dumme werden nun mal nicht mit Plakaten bekehrt. Fanatische Muslime auch nicht. Und Steuersünder, diese Pinguin-Kuschel-Verweigerer, schon mal längst nicht. Um die kümmert sich die Polizei. Die breite Masse der geflüchteten Neuankömmlinge hingegen braucht vor allem Freiheit. Doch wer als Flüchtling nach Deutschland kommt, dem wird erst mal ein Großteil der Freiheit genommen. Nicht frei bewegen. Nicht arbeiten. Nicht selber entscheiden. Menschen, die ihrer letzten Hoffnung gefolgt sind, werden hier enttäuscht – und damit stirbt der Lebensmut. Ich kenne Flüchtlinge, die aus lauter Verzweiflung in den Krieg zurückkehren. Manche, um zu kämpfen und dabei zu sterben, andere wollen am liebsten gleich sterben, weil sie die Situation hier nicht

mehr aushalten. Ein alter Syrer sagte zu mir nach mona-
telanger Warterei am LAGeSo: »Ich bin jetzt so traurig
geworden, dass ich lieber zurückgehe und durch eine
Bombe sterbe. Das geht schneller.«

So ergeht es allerdings nicht nur Geflüchteten in
Deutschland. Vor kurzem habe ich einen außergewöhn-
lichen Menschen im Libanon verloren. Hassan und ich
kannten uns seit der Schulzeit. Er war immer hoch ta-
lentiert und ist Tänzer geworden. Ein phantastischer
Tänzer. Mit meiner ersten festen Freundin war ich auf
einem von Hassans Auftritten – und dort bekam ich von
ihr den ersten Kuss.

Nach Ausbruch des Krieges musste er Syrien verlassen
und floh in den Libanon. Auf einmal war alles weg, sein
Pass ungültig. Hassan jobbte als Kellner in verschiedenen Restaurants in Beirut, aber es kamen immer mehr
Flüchtlinge, und Arbeit wurde knapp. Schließlich ließ
ihn kein Restaurant mehr arbeiten. Jetzt konnte Hassan
also weder tanzen noch Geld verdienen noch zurück
nach Syrien oder in irgendein anderes Land gehen. Also
kletterte er schließlich auf das Dach eines siebengeschos-
sigen Hauses, tanzte dort ein letztes Mal und sprang.
Er hat selber entschieden zu sterben. Eine Flucht in die
letzte Freiheit, die einem bleibt. Ich aber glaube nicht an
diese Art der Flucht. Ich glaube nur an die Flucht nach
vorne. Die wäre übrigens auch für die besorgten oder ver-
ängstigten Menschen in Deutschland gut. Sie könnten
einfach mal anfangen, weniger *über* Flüchtlinge zu diskutieren und mehr *mit* ihnen, das wäre schon mal ein
großer Schritt. Deshalb ist Integration im Heim ungefähr so sinnvoll, wie eine Tür auf eine Mauer zu malen.
Flüchtlinge können sich nun mal nicht in einem Land

integrieren, wenn sie nicht mit Einheimischen zusammen sein dürfen. Eine Hand klatscht ja auch nicht alleine. Und die Menschen, die hier ankommen, brauchen, was jeder Einheimische auch braucht: Freunde, Arbeit und eine Wohnung.

SHUFI MAFI SYRIEN?

Syrien ist meine Heimat – und wird es immer bleiben. Deutschland ist meine neue Heimat, meine zweite, und da ich hier lebe, ist es für mich die wichtigere. Das Land meiner Kindheit wurde mir weggenommen, und die neue Welt in Deutschland wurde mir geschenkt. Wie jedem Deutschen auch. Oder macht irgendwer, der hier geboren wird, irgendwann einen Eignungstest? Und wer nicht besteht, kann kein Deutscher sein? Deutschland ist mir ans Herz gewachsen. Doch ich habe natürlich Heimweh. Und so stecke ich in einer Klemme. Denn wie könnte ich weiterleben, wenn ich mich nicht von meiner Vergangenheit abwenden und in die Zukunft blicken würde. Man kann nicht nach vorne gehen, wenn man nach hinten guckt, da stolpert man doch ständig.

»Hast du Syrien vergessen, Firas? Warum redest du nicht mehr über den Krieg, die Toten, die Märtyrer? Ist dir das egal?« Dieses wiederkehrende Mantra beten mir syrische Aktivisten in der Heimat vor, während irgendwelche deutschen Hohlköpfe mich immer wieder angreifen: »Warum kehrst du nicht zurück und kämpfst für dein Land?«

Liebe alte Heimat, teuer und immer in meinem Herzen: Von hier aus kann ich nichts für dich tun. Und wir haben doch schon alles getan, alle Bilder gezeigt, die der Krieg produziert hat. Alle Qual offengelegt, jede Blöße und jedes Verbrechen. Wir haben der Welt unsere Arme entgegengestreckt, die noch blutig und verdreckt waren vom letzten Angriff. Unsere toten Kinder in die Kameras gehalten, unseren Schmerz mit allen geteilt, nach Gerechtigkeit und Freiheit geschrien. Es hat den Krieg nicht beendet, denn es sind ja nicht die Menschen in Deutschland, die den Krieg beenden können. Sie haben keine Waffen in den Nahen Osten verkauft. Das tun zwar auch deutsche Firmen, doch diese Händler sind unseren syrischen Gemüsehändlern sehr ähnlich. Sie interessieren sich nicht dafür, wo und gegen wen diese Waffen eingesetzt werden. Und die vielen Demos für Syrien? Sie haben das Mitgefühl für die Flüchtlinge gestärkt. Das ist ein kleiner Trost. Aber ich könnte hundertmal vom Unrecht in Syrien reden, auf tausend Friedensverhandlungen gehen. Die Bomben fallen weiter. Denn Krieg kommt von oben. Welches Kampfflugzeug hebt ab ohne Befehl von oben? Welches Land versinkt im Bürgerkrieg ohne Warlords, die die Waffen kaufen und ihre Kämpfer bezahlen, damit sie für ihre Interessen in die Schlacht ziehen? Auch der Krieg in Syrien kommt von oben. Und ein Ende ist nicht in Sicht. In meiner Heimatregion kämpfen die Stellvertreter der Supermächte seit fast einem Jahrhundert um das Öl, um die See- und Landpositionen und wechseln ihre Verbündeten wie andere ihre Unterhemden. Bauen wir Saddam auf – sägen wir ihn wieder ab. Bauen wir Bin Laden auf – sägen wir ihn wieder ab. Paktieren wir mit Assad – bekämpfen wir ihn wieder. Darum wird Syrien noch viele lange Jahre ein Kriegsschauplatz bleiben. Solange Assad an der Macht ist, gibt es keinen Frieden.

Und die Syrer? Sie werden sich im Ausland niederlassen, dort leben, arbeiten, sterben, vielleicht erfindet einer noch mal so etwas Tolles wie das iPhone, denn auch Steve Jobs hatte syrisches Blut in den Adern. Das ist das Schicksal meiner Landsleute und auch mein Schicksal. Ich blicke nicht zurück. Meine Flucht ist eine Flucht nach vorne: Wenn ich schon nicht den Krieg beenden kann, so kann ich aber dazu beitragen, dass wir uns eines Tages versöhnen. Uns bleibt doch gar nichts anderes übrig – dann also lieber früher als später, oder? Ich habe angefangen, die Mauern in meiner neuen Heimat abzubauen. Ich habe die Chance dazu, weil ich weder auf der einen noch auf der anderen Seite stehe. Es sind nun mal deutsche Mauern. Dieser Kampf zwischen Flüchtlingsgegnern und Gutmenschen ist so überflüssig wie eine Mauer zwischen Ost- und Westberlin und hilft niemandem. Man kann damit nur Politik machen und Schlagzeilen produzieren. Mit Angst bekommst du jeden rum. Und im Gegensatz zu der alten Mauer in Deutschland klebt an unserer Mauer das Blut an beiden Seiten. Wir Syrer haben uns gegenseitig sehr viel zu vergeben. Diese schwierige Versöhnung fängt aber genauso an wie überall: Man muss miteinander reden. Natürlich will ich Assad nicht mehr an der Macht sehen. Und ich kann auch nicht zurück, solange sein Regime besteht. Aber ich kann mit Syrern sprechen, die das anders sehen. Wenn ich also nach vorne blicke, sehe ich keine Heilung für Syrien, aber eine Heilung für uns Syrer.

Irgendwann.

SHUFI MAFI FIRAS?

Ich wusste früh, was ich in meinem Leben sein will: Schauspieler. Und auch, was ich in meinem Leben tun will: für die Freiheit und eine freie Gesellschaft kämpfen, aber ohne eine tödliche Waffe in der Hand.

Mein Vater war gegen beides. Er wollte, dass ich Medizin studiere, immerhin hatte ich ein gutes Abitur.

»Werde bloß kein Schauspieler«, meinte er. Von wegen.

»Geh nicht in die Moschee!« Von wegen.

»Geh nicht auf Demos!« Von wegen.

Ich habe ihm überhaupt nicht zugehört. Und er hat seine Sichtweise nicht geändert. Aber inzwischen sieht er sich alle meine Videos an – und ich glaube, dass er heimlich stolz ist, der Vater dieses Flüchtlings-YouTubers zu sein, auch wenn er es nicht sagt.

Auch in Deutschland habe ich auf niemanden gehört, der meinte zu wissen, was gut für mich ist.

Nachdem ich 250 Stunden des 600-stündigen B1-Deutschkurs hinter mir hatte, war ich davon überzeugt, dass ich jetzt die Prüfung schaffen würde. Die Lehrerin aber war dagegen:

»Mach das nicht! Du bist noch nicht so weit ...« Von wegen.

Die Prüfung bestand ich mit 31 von 33 Punkten.

Jetzt bin ich erfolgreich auf YouTube, auch wenn das eigentlich kein Geld bringt. Darum bin ich auch immer wieder erstaunt, wie sehr Menschen sich nach Bekannt-

heit sehnen. Sie lesen über Hollywoodstars und -stern-
chen und träumen genauso vom goldenen Himmelbett,
wie viele Menschen in der sogenannten Dritten Welt
vom Westen träumen. Die haben dieselben Hollywood-
streifen und -soaps gesehen wie die Leute in Deutschland und denken ebenfalls: Bist du mal dort, fliegt das
Geld auf dein Konto. Doch deshalb machen sie sich noch
lange nicht auf den Weg über das Mittelmeer. Der Traum
vom reichen Westen ist schließlich nicht erst zwei Jahre
alt. Trotzdem kamen nur wenige Menschen aus den armen Gegenden der Erde, kein Vergleich zu den Zeiten, in
denen dann dort ein schwerer Krieg ausgebrochen war.
Der Westen ist nun mal nicht sooo reich, auch die Leute
in Hollywood nicht, und ich bin es eben auch nicht. Vielleicht hätte ich Banker werden sollen statt »Clownprinz
der Migranten«.

Aber es kommen immerhin die ersten Aufträge für
Kampagnen, außerdem mal hier eine Rede halten, dort
ein Statement abgeben und nun auch dieses Buch. Doch
jetzt steht ein nächster großer Schritt an. Integration
Firas Alshater Teil II: die Abmeldung beim Jobcenter.
Es kommt mir vor, als säßen hier plötzlich mein Vater,
meine Lehrer, die Heimbetreiber und jeder, der meinte,
über mein Leben bestimmen zu dürfen, vereint in einer
Person mit mir am Tisch.

Ich sitze vor meiner Betreuerin und erkläre freude-
strahlend, dass ich mich nächsten Monat abmelden werde. Endlich nicht mehr dem Staat auf der Tasche liegen.
Ich werde mich selbständig machen, denn ein kleines
Einkommen habe ich ja immerhin.

Sie hört mir gar nicht richtig zu. Ich solle zu einem
Gruppentreffen gehen, sagt sie, dort gebe es Infos zur
Ausbildung.

Hallo!? Also noch einmal: »Ich werde mich selbständig machen, ich verdiene jetzt schon Geld, ich bin inzwischen berühmt, und ich werde mich abmelden. Sie können mich doch jetzt nicht ernsthaft in so eine Maßnahme schicken ...«

Sie bleibt stur. »Und wenn Sie der Kaiser von China wären ... Solange Sie hier angemeldet sind, müssen Sie die Anweisungen befolgen.« Mir ist das unbegreiflich, aber nicht unbekannt. Die meisten Verwaltungsmitarbeiter haben so mit mir geredet. Freiheit klingt anders. Kennt ihr den - habe ich von Jan: Warum gehen ehemalige DDR-Bürger so gerne ins Jobcenter? Da werden sie behandelt wie früher.

Die Tür geht auf, und herein kommt die Chefin meiner Betreuerin: »Ich habe im System gesehen, dass Firas Alshater gerade hier ist. Da musste ich sofort mal vorbeikommen! Sie sind es wirklich?« Begeistert schüttelt sie mir die Hand. »Bin ein Riesenfan Ihrer Videos!« Ich blicke zu meiner Betreuerin und grinse. Ein paar Tage später bekomme ich die Zusage, dass ich an der renommierten Uni Potsdam Filmschnitt studieren kann. Yep! Und was noch besser ist: Die Professorin dort kennt mich schon - und jetzt ratet mal woher! Von meiner ersten großen Party: Ihr Ex war dort und hat ihr danach wochenlang davon vorgeschwärmt.

Das ist wirklich der Monat der guten Nachrichten. Jetzt habe ich sogar die Wahl: Selbständigkeit oder Studium. Leider ist in der Post aber auch ein Brief vom Jobcenter. Man fordert mich auf, eine Ausbildung zu machen. Ich muss also wieder hin.

Und so sitze ich denn wenige Tage später einem Mann gegenüber, der von meiner Idee, mich selbständig zu machen, gar nichts hält: »Nach ein paar Monaten landen Sie doch sowieso wieder hier! Das kenn ich schon. Alle wollen selbständig werden, aber das schaffen die nicht.« Und dann präsentiert er mir die Lösung all meiner Probleme: »Machen Sie eine Ausbildung!« Und weiter: »Lauter Selbständige, die bringen der Rentenversicherung nix.« Ich solle lieber eine Ausbildung machen, das sei meine besondere Pflicht. »Immerhin hat Deutschland Sie bisher gut unterstützt.«

Irgendwie fühle ich mich gerade wie ein einsamer Pinguin. Ich dachte, Solidargemeinschaft gilt für alle. Aber nein, Selbständigkeit ist höchstens was für Einheimische, ich darf die Rentenversicherung aufpäppeln. Weil ich Flüchtling bin?

Geduldig erkläre ich ihm, dass ich noch eine Möglichkeit habe, denn ich könne im Herbst mit dem Studium in Potsdam beginnen. »Und darum werde ich bestimmt nicht ins Jobcenter zurückkommen.«

Jetzt dreht er erst richtig auf: »Machen Sie bloß kein Studium, und schon gar nicht in den Medien! Ich hab so viele, die an der Uni waren, München, Köln, Berlin - danach sind Sie ja erst recht arbeitslos und liegen uns auf der Tasche. Diese Künstler in Berlin verdienen gar nichts. Schauspieler bekommen keine Rollen. Sie machen eine Ausbildung! *Das* ist der richtige Weg.«

Ich höre meinen Papa im Hintergrund. Aber ich probiere es noch mal: »Entschuldigung, aber ich bin gar nicht hier, um über das Studium zu reden, außerdem ist es nicht Schauspiel, sondern Cutter, aber das geht Sie eigentlich nichts an. Ich verdiene schon Geld. Googeln Sie bitte mal meinen Namen ...«

Das interessiert ihn nicht. Google ist für ihn Gelaber: »Pfffffffff. Im Internet schreiben die Leute doch sowieso, was sie wollen. Das zählt nicht.« Und er googelt nicht. So viel Ignoranz ist ja nicht zum Auszuhalten. Ich gebe ihm meine Abmeldung – und tschüs!

Ich habe höchsten Respekt vor jedem Job, jeder Ausbildung, jedem Studium, was auch immer. Aber für mich möchte ich bitteschön selber entscheiden. Jede Frau will ihren Mann doch auch selber wählen dürfen, oder? Das höre ich in jedem Integrationskurs, von wegen Zwangsheirat und so. Also wenn das Jobcenter Heiratsvermittler wäre ... Au Backe.

Meine goldene Regel

Bei der Lektüre eines guten Buches erhole ich mich von dem anstrengenden Jobvermittler. Dafür habe ich meinen goldenen Koffer: Wenn ich lese, bin ich in einer anderen Welt, und diese Welt war zuerst im Kopf des Schriftstellers. Oder in seinem Herzen. Lesen ist wie träumen. Menschen müssen träumen. Nacht für Nacht. Wer es nicht tut, wird früher oder später verrückt. Deshalb ist Schlafentzug eine Foltermethode, und die kannten meine Kerkermeister in Syrien leider auch. Man darf Menschen ihre Träume nicht nehmen oder verbieten. Sonst gehen sie zugrunde. Doch Träume mit jemandem zu teilen ist das Größte überhaupt, und so haben mir die Bücher aus meinem goldenen Koffer immer Trost gebracht: Irgendwie hat er das auch für mich geschrieben, er hat mich gemeint.

Jetzt sitze ich sozusagen auf der anderen Seite und habe euch mitgenommen in meine Träume, meine Geschichte, meine Erinnerungen. Jetzt teilen wir es, haben eine gemeinsame Geschichte. Und das bringt uns nach vorne.

Warum wohl fühlt sich ein Hamburger mit einem Bayern auf Anhieb vertrauter als mit einem Araber? Vermutlich können beide sich darauf verlassen, dass der andere auch dieses oder jenes Kinderbuch kennt oder »99 Luftballons« mitsingen kann. Dass sie beide dieselben Nachrichten gesehen haben. Und der andere genauso gerne über das Wetter schimpft. Und über das Jobcenter. Und die Regierung. Man hat ähnliche Geschichten, Träume und Alpträume und kann über die meisten Witze gemeinsam lachen. Das verbindet.

Darum funktioniert unser Zusammenleben immer besser, je mehr Geschichten wir miteinander teilen. Dann können wir auch über mehr Dinge zusammen lachen. Mit ZUKAR habe ich hautnah miterlebt, wie Menschen über den Humor etwas Verbindendes gefunden haben. Es ist dermaßen befreiend, wenn die anderen nicht mehr so anders sind. Lasst uns darum noch ganz viele Geschichten teilen. Ich habe jedenfalls fest vor, nicht mit dem Erzählen aufzuhören. Und genauso will ich alle Geschichten hören, die es in meiner neuen Heimat zu hören gibt, und Gemeinsamkeiten entdecken.

In meinem Katzenvideo habe ich mich darüber beschwert, dass Katzen mir als YouTube-Videoproduzent den Rang ablaufen. Immer bekommen sie mehr Klicks als ich - einfach nur, indem sie miau machen und süß gucken. Wenn ich süß gucke und miau mache, bringt das gar nichts. Ganz klar: Die Katzen sind an meinem Elend schuld.

Natürlich geht es in dem Video nicht um Katzen, es ist reine Satire. Inzwischen verwenden Lehrer das Video sogar mit großem Erfolg im Ethikunterricht. Auch ein englischer Schulverlag nimmt mich und die Geschichte des Videos in seine Hefte mit auf. Jetzt bin ich plötzlich Teil des Lernstoffes von Schülern, die sich in fünf oder zehn Jahren vielleicht daran erinnern. Wenn sie von Syrern hören, denken sie vielleicht an mein Gesicht mit Katzenohren und wie ich verzweifelt »Miau« sage. Dann grinsen sie bestimmt noch einmal darüber. Es ist nun ein Teil von ihnen. Ich bin ein Teil von ihnen. Und auch mein Grinsen. Das macht mich sehr verlegen. Es ist diese Art Stolz, bei dem man ein bisschen rot wird. Denn ich hätte wirklich nicht damit gerechnet.

Ja, wenn man sich anstrengt, kann man über alles lachen. Auch über die Flüchtlinge. Über mich zum Beispiel. Für Humor braucht man ja keine Bildung, kein Diplom und keinen Kurs. Man braucht gar nichts, Humor hat jeder von Geburt an dabei. Mein kleiner Neffe ist gerade mal ein Jahr alt und ein Schelm ohne Ende. Humor ist der Schlüssel, der uns alle Türen öffnen kann, und überhaupt der beste Weg, ein Mensch zu sein. Hass muss man trainieren, aber Humor nicht. Hass ist extrem anstrengend, Humor hingegen herrlich leicht. Darum vergesst es nie, wenn ihr einmal auf Mauern stoßt – ob nun bei eurer Familie, eurem Ehepartner, euren Bekannten oder völlig Fremden: Alle Menschen lachen in derselben Sprache.

DANK

Ich möchte das Buch meinen Eltern widmen. Sie haben mir nicht nur das Leben geschenkt, sondern es auch immer wieder gerettet. Außerdem widmen Jan und ich es den Opfern des Syrienkrieges – besonders Tamer Alawam, gestorben im September 2012 in Aleppo, mit seinem Film hat alles begonnen.

Ich sage allen herzlich Shukran, ohne die es dieses Buch niemals gegeben hätte:

Farisa, die immer da war, wenn ich Hilfe brauchte.

Jan Heilig, der mich immer nervt und nervt – damit es am Ende noch besser wird. Eines Tages muss ich ihm seine Ohren wieder ankleben. Jans Sofa, das eigentlich ein Kanapee sein möchte und das mich immer noch erträgt. Mein Team bei ZUKAR: Celine, Cristian, Hannah, Maryse, Natali, Ronny, was haben wir gelacht und tolle Videos gemacht. Lili besonders für Fotoshootings & Photoshoparbeit der Bilder.

Natalie Tenberg, unsere Agentin, die sich immer für uns stark gemacht hat.

Harald Geil, der seit Jahren nicht müde wird, mich immer wieder zu fotografieren.

Bei Ullstein danke ich besonders Ulrike von Stenglin, die schon immer an uns geglaubt hat.

Julia Gommel-Baharov, so schnell, wie ihre Mails zurückkommen, hat sie vermutlich eine Zeitmaschine unter dem Schreibtisch versteckt. Franziska Brinkmann, die jeden meiner fünfhundert Extrawünsche im Mausumdrehen umgesetzt hat. Swantje Steinbrink für ein Hochgeschwindigkeitslektorat, kein ICE kommt da hinterher. Es waren natürlich noch viel, viel mehr Menschen beteiligt, ich danke Euch allen - und verspreche Euch: Das war nicht mein letzter Streich.

Firas Alshater, Berlin 2016

Karte von Syrien

ALLE MENSCHEN LACHEN IN DERSELBEN SPRACHE

Firas in den Sozialen Netzwerken

- fb.com/FirasAlshater
- youtube.com/zukar
- twitter.com/firas_alshater
- instagram.com/firas_alshater

ZUKAR - Firas entdeckt die Deutschen

ZUKAR ein unabhängiges Projekt der Filmemacher Firas Alshater und Jan Heilig. In der Videoreihe geht Firas auf eine Entdeckungsreise: Wer sind die Deutschen? Wie ticken sie? Dazu beschreibt er aus seiner Perspektive Erlebnisse oder kommentiert aktuelle Themen. Alles mit einer gesunden Prise Humor.

Das sind z.B. Bereiche der Alltagskultur, natürlich auch Flüchtlings- arbeit, 'typisch Deutsch', Kommunikation zwischen Kulturen und vieles mehr. Besonders geht es um Ideen, wie Integration denn nun wirklich funktionieren kann. Jede Folge entsteht kurzfristig, je nach aktueller Situation.

Im Januar 2016 schossen innerhalb weniger Tage die Zuschauerzah- len für die erste Folge in die Höhe. Nach nur einer Woche wurde mit Facebook & Youtube die 1-Millionenmarke überschritten.

Dank eines erfolgreichen Crowdfundings im Sommer 2016 sind mittlerweile über 25 Folgen entstanden.

www.ZUKAR.org

ICH BIN SYRISCHER
FLÜCHTLING.
ICH VERTRAUE DIR –
VERTRAUST DU MIR?
UMARME MICH!